Paroles d'humanité

Denise Lever
Yvon Poitras
Francine Vincent

PAROLES D'HUMANITÉ

MÉDIASPAUL

Catalogage avant publication de Bibliothèque et Archives Canada

Lever, Denise, 1939-

    Paroles d'humanité

    Comprend des réf. bibliogr.

    ISBN 2-89420-686-0

    1. Vie spirituelle — Christianisme. 2. Vie — Aspect religieux — Christianisme. 3. Témoignage (Christianisme). I. Poitras, Yvon, 1932-   . II. Vincent, Francine. III. Titre.

BV4502.L482 2006   248.4   C2006-940834-3

Composition et mise en page: *Médiaspaul*

Photos: *Yvon Poitras*

Maquette de la couverture: *Maxstudy*

ISBN 2-89420-686-0

Dépôt légal — 3ᵉ trimestre 2006
Bibliothèque et Archives nationales du Québec
Bibliothèque nationale du Canada

© 2006 Médiaspaul
        3965, boul. Henri-Bourassa Est
        Montréal, QC, H1H 1L1 (Canada)
        www.mediaspaul.qc.ca
        mediaspaul@mediaspaul.qc.ca

        Médiaspaul
        48, rue du Four
        75006 Paris (France)
        distribution@mediaspaul.fr

Imprimé au Canada — Printed in Canada

INVITATION

PRENONS LE TEMPS D'EN PARLER

Il y a un temps pour chercher et un temps pour perdre,
un temps pour garder et un temps pour jeter.
Il y a un temps pour déchirer et un temps pour coudre,
un temps pour se taire et un temps pour parler.

(Qo 3, 6-7)

Le troisième millénaire s'ouvre sur un monde de communications. Les êtres humains ont cette faculté de communiquer leur pensée par la parole. Homme, femme de parole. Leurs expériences sont des paroles vivantes qui marqueront les générations à venir. Dans cette perspective, *Paroles d'humanité* nous invite à entrer dans cette réflexion, à écouter les inquiétudes, les joies, les questionnements des hommes et des femmes de notre temps.

Pour ce faire, les routes de trois musiciens des mots se sont croisées à nouveau. Quelques années auparavant, ils avaient en effet eu le bonheur de créer ensemble et cette expérience nouvelle avait enchanté leurs jours. Ils ont donc choisi de se remettre au travail avec patience et courage, mais également avec beaucoup d'enthousiasme.

En lisant *Paroles d'humanité*, vous reconnaîtrez le doigté et la musicalité propres à chacun des auteurs. L'harmonie de leur musique produit une œuvre qui prend sa source au cœur de l'Évangile et s'inspire du contact d'hommes et de femmes qui vivent, jour après jour, des expériences simples mais fascinantes et touchantes. C'est ça la vie! Ces paroles, incarnées dans la réalité humaine, iront rejoindre la dimension spirituelle de l'être faisant écho, nous l'espérons, à votre expérience.

Au nom de la foi en la Parole de Dieu, de l'espérance nourrie par le désir d'un monde meilleur et de l'amour qui ouvre à l'autre, Denise Lever nous invitera à investir dans des engagements gratuits, à promouvoir un monde de paix, à multiplier, par générosité et amour, les élans de solidarité envers l'humanité tels des signes de présence à l'autre et de reconnaissance de sa dignité.

Yvon Poitras nous rappellera que nous sommes appelés à choisir le simple geste, l'attitude ou l'action qui libérera une vie. C'est par l'engagement dans la société, particulièrement auprès des plus démunis, que nous vivrons l'Évangile et qu'ainsi nous prolongerons les pas de Jésus en incarnant d'une manière neuve les *Béatitudes* dans notre existence personnelle et dans notre communauté. À la lecture de ses paroles, nous découvrirons peut-être que nous sommes tous appelés au bonheur.

Francine Vincent nous aidera à réfléchir sur l'ouverture du cœur, celle qui permet à la vie de s'éclater, celle qui rend la rencontre possible entre les humains et entre le Créateur et ses créatures dans une relation d'amour, de respect, d'écoute, dans la simplicité. Enfin elle formulera le souhait que l'espérance d'une vie en abondance vous invite à goûter les joies quotidiennes et à croire à l'Amour immense de Dieu pour la création tout entière.

Laissons résonner en nos cœurs le fruit de leur collaboration, paroles vivantes aux couleurs de l'humanité.

Francine Vincent

1
UNE PAROLE POUR LA RENCONTRE

L'ESSENTIEL DE LA VIE

Ces gens ont croisé mon chemin
et leur manière d'être au monde
a résonné au fond de mon cœur.
Ils m'ont beaucoup apporté, beaucoup appris...
Monique David

Il suffit de saisir qu'on est fait pour aimer. Ces paroles de Robert Lebel semblent si faciles à vivre et si complexes à la fois. Malgré l'avancée spectaculaire du monde des communications, la promotion des relations humaines, l'éclatement de la vérité que l'on cherche et que l'on promeut, la sensibilisation médiatique autour des expériences et des souffrances, les êtres humains sont en mal d'amour, en mal de mots pour se dire et se révéler. Plusieurs couples se disloquent tandis que des êtres solitaires n'arrivent pas à rencontrer l'âme sœur. Le travail en équipe est difficile. Les relations familiales et amicales sont mises à l'épreuve. Nous avons dans notre bagage la liste de nos attentes souvent inconscientes. Mais l'essentiel demeure: l'être humain est fait pour aimer, pour être aimé. Le temps est court... si ça ne marche pas maintenant: *delete*. Il n'y a pas de temps à perdre.

Vivre une véritable rencontre, ça semble terriblement compliqué. Pourtant, il y a des moments divins où tout semble coïncider pour permettre une rencontre entre deux êtres, une rencontre qui transforme, qui lance en avant, qui fait que l'on est rempli de joie et que, comme l'apôtre Pierre, on aurait le goût de dire: «Dressons trois tentes et restons ici[1].» Des moments magiques, marqués par la reconnaissance de l'un et de l'autre, vécus dans une grande authenticité et avec beaucoup d'amour. Je te reçois tel que tu es et tu me reçois tel que je suis. Et ainsi, il devient possible d'aller plus loin, de cheminer ensemble pendant un certain temps, sans masque, sans restriction, dans la vérité. L'essentiel de la vie réside dans les êtres que nous rencontrons sur notre chemin, et avec qui se vit un partage véritable qui nous projette en avant, heureux, confiants, renouvelés.

Un homme, un jour, a vécu lui aussi une rencontre qui a radicalement transformé sa vie. C'était un homme atteint de paralysie[2]. Sa route l'a conduit auprès de Jésus, le prophète de Nazareth, en Galilée. En me réappropriant cette histoire de vie, j'y ai découvert un parcours en douze temps qui a conduit l'homme et Jésus à une rencontre véritable. Relisons-la ensemble.

1. *Survinrent des gens portant sur une civière*
   un homme qui était paralysé...

La paralysie est toujours un mal très répandu. Nous sommes paralysés devant l'inconnu, devant les responsabilités qui s'accumulent, devant les changements qui, inévitablement, s'imposent. Nous sommes paralysés par la peur d'être rejetés, non accueillis, non reçus dans l'intégralité de ce que nous devenons, alors que la rencontre est le fruit d'une audace et d'un risque qui entraînent une fragilisation. Nous nous coupons de nos sécurités, et si cela entraîne une souffrance, un rejet, il y a alors danger que nous nous refermions sur nous-mêmes et vivions de l'insécurité, de l'isolement, de la peur, du ressentiment, de l'amertume. Nos paralysies reculent l'aboutissement des projets et des rêves, empêchent les rencontres de se vivre.

---

[1] Lc 9, 33b.

[2] Lc 5, 17-26.

2. *Ils cherchaient à le faire entrer et à le placer devant lui...*

Des gens, anonymes mais animés d'un grand désir, tentent de mettre en place toutes les conditions pour que la rencontre ait lieu entre le paralytique et Jésus. Ils semblent porter le rêve du paralytique. Ils mettent, en effet, tout en place pour que le meilleur arrive à l'homme paralysé par toutes sortes de contraintes. Quand l'homme n'a plus la force et la foi d'espérer un avenir qui répondrait mieux à ses besoins et qui le nourrirait davantage, d'autres prennent la relève. Ils vont plus loin que la simple proposition, ils agissent, ils font arriver les choses. Chercher, c'est croire du plus profond de son cœur que le meilleur est à venir.

Ces gens ne cherchent pas n'importe quoi! Ils sont convaincus que le trésor de la relation se trouve à l'intérieur, dans l'intimité des êtres, quand deux personnes se font face, au cœur de la vérité de l'un et de l'autre.

3. *Comme, à cause de la foule...*

La foule est très présente et habite tout le cadre de l'histoire. La foule n'est pas la paralysie. Elle est plutôt comme une immense muraille qui empêche de voir, qui empêche de saisir la solution du problème, d'entrevoir de possibles avenues, de goûter aux joies du bonheur. La foule n'aime pas la paralysie. Omniprésente, elle devient alors un obstacle infranchissable, au point de boucher toutes les voies susceptibles de laisser passer le souffle. La foule étouffe l'être fragilisé. Comment retrouver le souffle qui anime, fait vivre, régénère et permet des audaces qui revivifient?

4. *Ils ne voyaient pas où le faire entrer, ils montèrent sur le toit et, au travers des tuiles...*

Il y a toujours un possible qui se cache au milieu de ce qui apparaît impossible. L'espérance se nourrit des initiatives, des désirs, des recherches intérieures, des brèches dans la cuirasse des cœurs obstrués par de vilaines blessures mal cicatrisées. Rien n'est impossible à Dieu, du moment que la vie trouve une ouverture par où se faufiler et un terrain prêt à la recevoir.

5. *Ils le firent descendre avec sa civière...*

Dans toute cette aventure qui mène à la rencontre, il faut souvent accepter de mourir à quelque chose, mourir à soi pour renaître à du neuf. Les gens qui accompagnent le paralytique le font descendre avec sa civière. Il est invité à vivre des conversions à partir de ce qu'il est, à se délivrer des masques qui défigurent l'intérieur de l'être.

6. *En plein milieu, devant Jésus...*

Au cœur d'une intimité féconde, l'un devant l'autre, deux vérités se font face et tout devient possible.

7. *Voyant leur foi...*

Vivre une rencontre, c'est faire assez confiance à l'autre pour risquer de se montrer sous son véritable visage, en se disant que celui-ci est assez beau pour qu'il le reçoive tel quel et qu'il puisse y puiser de la joie. C'est croire et entendre la parole retentissant au fond de son être: *Je t'ai créé et je t'aime. Dès le sein de ta mère je te connais. Tu as du prix à mes yeux et je t'aime*[3]. Alors peut-être serai-je capable de croire que je suis quelqu'un d'aimable.

8. *Il dit: «Tes péchés te sont pardonnés...»*

L'homme est désormais délié de ses peurs, de ce qui le paralysait et nuisait à une rencontre véritable. Il sort grandi de cette rencontre. La vie continue de se recréer parce que son cœur s'est épuré par une conversion profonde. Il a su faire place à l'amour qui libère.

---

[3] Is 43, 1-4; 49, 15-16.

9. *Pourquoi raisonnez-vous dans vos cœurs?...*

«À force de s'épandre sur les détails et de chercher l'introuvable, on finit par rater l'essentiel.» (Jean Dion) L'amour est tissé de paroles qui ne culpabilisent pas, qui ne jugent pas, qui n'enferment pas, qui laissent la vie prendre sa place. La rencontre n'aura pas lieu, si elle est construite de paroles qui sont toujours filtrées par la raison et qui n'atteignent pas l'essentiel, un cœur vibrant d'amour, de pardon, d'accueil.

10. *Je te dis, lève-toi, prends ta civière et va dans ta maison...*

Une parole qui apporte vie et liberté. L'homme est invité à retourner chez lui, avec les siens, en emportant tout ce qu'il est, tout ce qu'il a vécu, tout ce qu'il a retenu de cette rencontre.

11. *À l'instant, celui-ci se leva devant eux...*

Il y a quelque chose de spontané qui jaillit comme étant le fruit d'une belle rencontre: une joie intérieure qui rend actif, fait avancer, donne des ailes et de l'assurance, redonne de la vitalité et un regard tourné vers l'horizon, là où la terre et le ciel semblent se rejoindre.

12. *Il prit ce qui lui servait de lit et il partit pour sa maison en rendant gloire à Dieu.*

La réaction de l'homme confirme que la Vie est passée en laissant des traces. Ses paralysies, il les prend dorénavant sous son bras. Elles ne lui nuisent plus dans son avancée vers un monde plus centré sur l'essentiel.

Heureusement qu'il y a de ces moments divins qui sont bien gravés dans notre mémoire: le partage d'un repas avec des amis où l'on s'entend à changer le monde à nouveau, la naissance d'un enfant qui lie la terre entière, un voyage qui unit des personnes d'univers différents, qui leur permet de s'accueillir mutuellement et de partager des visions et un peu d'elles-mêmes. Quand ces moments privilégiés se présentent, il nous est alors possible de dire à notre tour: «Nous avons vu aujourd'hui des choses extraordinaires.»

Francine Vincent

Rencontrer, c'est marier le plus divin de soi
au plus divin de l'autre.

TÉMOINS

COMMENT FAIRE
POUR TE RENCONTRER?

*Sur l'avenir d'une maison
rien ne compte plus
que ceux qui y sont.*

*Depuis que je regarde
dans vos yeux et dans vos mains
je me tais et je vous garde.*
Louis-Marc Chicoine

Le défi de la rencontre, c'est d'établir un contact avec l'autre. Ça va bien quand on a la même culture, que l'on vient du même milieu, que les expériences vécues sont semblables. Mais qu'arrive-t-il quand l'autre arrive chez toi pour y demeurer et que tu ne connais de lui que le nom? Qu'arrive-t-il si sa vie depuis sa naissance est à l'opposé de la tienne, si ses valeurs ne s'ajustent pas aux tiennes, s'il lève le nez sur ce que tu manges, si son désir premier est de retourner vite dans son univers qu'il ne veut à aucun prix oublier?

C'est ce que vivent régulièrement les familles d'accueil. Par définition, la famille d'accueil offre un foyer temporaire à des enfants ou des adolescents pour une période de quelques jours à plusieurs mois, ou parfois même des années. On accueille ces enfants pour différentes raisons allant de la négligence à la violence familiale. Ces enfants ont moins de 16 ans et ils ont souvent dû quitter un quartier, des amis, des frères et sœurs. Ils sont souvent marqués physiquement ou psychologiquement. Ce dont ils ont surtout besoin, c'est de chaleur humaine, d'acceptation, de constance, de structure, d'encadrement, d'un lieu paisible où ils pourront se développer et grandir sainement dans un milieu propice.

Les médias parlent peu des familles d'accueil. Pourtant, ces personnes mériteraient de faire la manchette tous les jours pour le rôle qu'elles remplissent avec beaucoup d'amour, de patience et de compréhension.

J'ai demandé à l'une d'elles comment se vivait la «rencontre» entre la famille d'accueil et les enfants hébergés au quotidien. Stéphanie et Louis-Marc ont trois enfants: Antonin, Marie-Philippe et Mathéo. Tous trois ont moins de cinq ans. Le couple vit dans une petite ville de la Montérégie. Il a accueilli trois garçons de douze ans.

Pour Stéphanie et Louis-Marc, vivre la rencontre c'est accueillir chez soi quelqu'un qui est différent de toi et chercher à établir un contact avec cet enfant malgré toutes ses différences. «Si tu es capable de t'intéresser à ce qui crée cette différence et à chercher à apprendre d'elle, il y a de l'espoir. Au début, quand l'enfant entre chez toi pour la première fois, tu ne connais que son nom et quelques éléments de sa vie. La rencontre est difficile.»

Louis-Marc aime bien les jeux de mots. En découpant le mot *ren-contre*, il y trouve le processus de l'accueil. «Au début entre l'enfant et nous, c'est comme l'un contre l'autre, il y a comme un mur entre nos deux réalités. On a beau être ou rêver d'être des personnes ouvertes et accueillantes, c'est comme s'il y avait une *zone tampon*, une grande *zone tampon* pleine de secrets, de souffrances, de rejets, de deuils aussi. Une famille d'accueil doit être celle qui tente de cueillir les choses une à une, à mesure qu'elles sont mûres, jusqu'à ce que la *zone tampon* occupe un espace plus normal. Saint-Exupéry dirait que c'est s'apprivoiser, créer des liens. Il y a des jours où on ne cueille pourtant qu'un flocon. À un moment donné, ça fait boule de neige, et on cueille des belles choses d'un côté comme de l'autre.»

Pour Stéphanie, être famille d'accueil est un bien grand défi. «Notre désir d'aider l'autre est immensément grand. Nous voulons être généreux, donner le meilleur de nous-mêmes aux enfants qui nous sont confiés; et nous sommes tellement contents et heureux de les recevoir dans notre maison. Nous avons l'impression, sinon la conviction, de poser un geste noble pour l'enfant mais également pour la société. Mais la réalité est souvent différente. Quand les enfants arrivent chez nous, nous voulons les protéger, leur donner mieux que ce qu'ils ont connu, que ce soit de bons repas, de beaux vêtements, de l'attention, de l'amour et de la tendresse même. Mais il y a comme un mur dressé entre nos deux réalités, un mur épais, souvent très étanche. On a l'impression de faire face à un obstacle insurmontable. Ces enfants ont de très grandes résistances.»

Louis-Marc a ses images bien personnelles pour décrire cette réalité. «Quand je regarde ma famille d'accueil, je la regarde de haut comme un petit gamin qui admire une colonie de fourmis. Face à ces minuscules bestioles, je me sens fort, c'est moi le chef, c'est moi qui ai le contrôle. Mais concrètement, il en va tout autrement. La richesse de ces enfants est microscopique. Et moi avec mes gros doigts, je peux les écraser allègrement si je ne porte pas attention. Moi qui suis plus grand, plus fort, plus "riche" financièrement mais aussi culturellement, et mieux équipé pour "élever" un enfant, je pense qu'il aura tout à apprendre de moi. Mais le plus difficile, c'est de prendre conscience qu'il n'en est rien, et que j'ai tellement à apprendre de lui. Le gros défi du chef de la colonie de fourmis, c'est d'arriver à faire prospérer sa colonie sans écraser la vie qui circule dans les couloirs souterrains. Le défi d'une famille d'accueil, c'est d'entrer en relation avec l'enfant sans l'écraser, sans chercher même inconsciemment à le diminuer. C'est être en relation avec lui d'une manière si authentique qu'il aura le goût et le courage de laisser monter à la surface ses plus beaux trésors.»

C'est Louis-Marc qui reste à la maison avec les enfants. Après avoir quitté un travail qui ne le satisfaisait plus, il découvre, avec son nouveau regard de père, qu'il y a tellement d'enfants dans son milieu qui vivent des souffrances terribles. Il se rappelle que, dans son enfance, sa mère accueillait toujours plein de monde. Elle offrait gîte et couvert pour un temps donné, parce que les gens étaient de passage au Québec, ou parce qu'ils étudiaient non loin de chez elle, ou encore pour leur donner un coup de pouce vers un avenir prometteur.

Plusieurs facteurs poussaient Louis-Marc à devenir avec Stéphanie une famille d'accueil. Entre autres choses, ils se trouvaient privilégiés d'avoir une belle maison chaleureuse et pleine de possibilités, d'avoir eu une enfance heureuse, d'avoir été entourés d'adultes signifiants. C'était important pour eux de faire découvrir et expérimenter à leurs enfants le sens de la justice, de la solidarité et du partage. De plus, Louis-Marc aime beaucoup cuisiner. Quand il y en a pour cinq, il y en a pour sept ou huit...

Pour Stéphanie, être famille d'accueil c'est offrir à sa famille la possibilité d'avoir une porte ouverte sur le monde. «Nous étions une famille bien unie... mais bien fermée aussi. Nous nous complaisions dans nos histoires. Comme dans l'épisode de la Transfiguration, le Seigneur Jésus nous invitait à descendre de la montagne et à retourner dans le monde, même si nous voulions faire perdurer l'expérience que nous vivions ensemble. Ici, les enfants entrent, vivent un temps de relais chez nous puis, à plus ou moins brève échéance, s'en vont ailleurs. On fait des rencontres formidables, exigeantes mais aussi très riches. Ces enfants nous apportent des intérêts que nous n'avons pas, un vécu passablement différent du nôtre, une grande sensibilité. Plus j'apprends d'eux, et plus je découvre des côtés de moi qu'il ne m'aurait pas été permis de connaître. Ce qu'ils sont vient confronter ce que je suis. Et ce que je découvre m'amène à prendre un chemin différent, à changer ma vision des choses, à faire des compromis pour améliorer notre relation.»

«Pour comprendre tout ce que l'enfant vit, il faut que j'essaie de me mettre à sa place. Plus je me pose des questions pour mieux le connaître, plus je peux comprendre la profondeur de ce qu'il vit. Dans le mot *con-naître* il y a le mot naître. J'essaie de naître à côté de lui, de me mettre dans sa situation. Moi, je vivrais cela comment? Puis j'essaie d'avoir le plus d'informations possible. J'essaie de retrouver son univers, d'imaginer ce qu'il a pu vivre avec sa mère... et ainsi je le comprends un peu mieux.»

Louis-Marc, pour sa part, trouve difficile d'entrer dans l'univers de l'autre sans oublier les valeurs qui lui sont chères. Une fois, il s'est amusé à aller marcher dans le quartier d'un des enfants. «J'étais curieux de connaître le parc où il jouait, de voir l'allure de sa maison, d'entrevoir les voisins, les enfants, son milieu de vie. J'y ai vécu un affreux malaise. Je ne pensais pas qu'un milieu aussi pauvre pouvait exister. Alors j'ai voulu le sortir de là à tout prix. Mais à certains moments, j'avais l'impression de ramer à contre-courant. L'instinct c'est très fort, la mémoire aussi. Cet enfant-là n'aimait pas l'hiver quand il est arrivé chez nous. Parce que le mot "hiver" voulait dire froid, sans bottes et peu habillé pour affronter les froids sibériens. Mais même là, la rencontre n'a pas toujours lieu. Tu les habilles chaudement, et souvent ils sortent sans bottes et sans tuque. Tu leur fais de bons repas chauds, et ils lèvent le nez dessus. C'est comme s'ils n'étaient pas prêts pour la rencontre.»

«Ça prend beaucoup de temps pour diminuer la *zone tampon*, et se faire confiance mutuellement. Peut-être que dans leur cœur, les enfants ne sont pas prêts à nous rencontrer. Malgré tout ce qu'on leur apporte, ils veulent être chez eux, ailleurs, même si leur vécu n'était pas toujours rose. Ce sont des êtres blessés qui se protègent pour ne pas être blessés à nouveau. Même s'ils ne sont pas rendus à désirer une véritable rencontre, il faut persévérer quand même. Il nous arrive de parler avec eux dans un vrai cœur à cœur, mais on dirait que c'est toujours dans des moments de crise. L'enfant t'a testé, testé, testé, pour être sûr de la personne à qui il va faire confiance. On dirait qu'il faut toujours démolir quelque chose pour que la porte de son cœur s'ouvre enfin.»

«Nous avons déjà vécu des rencontres que j'appellerais d'âme à âme, dans des moments de grandes peines. Ces enfants sont tellement blessés, rejetés, qu'ils se sont construit des masques, des carapaces, ou des comportements bizarres pour supporter la souffrance et avoir ce qu'ils veulent. Ils ont construit comme un monde de ciment autour d'eux, et chaque fleur qui en surgit fait craquer la surface et nous apporte un brin d'espoir. Mais le sentier qui mène à la petite fleur est tellement tortueux, accidenté et difficile d'accès que notre esprit est trop souvent traversé par le désir de laisser tomber et de rebrousser chemin.»

Louis-Marc s'est souvent fait dire qu'il en faisait trop. «On ne me demande que d'assurer l'intégrité physique et mentale des enfants. S'il est chez nous en sécurité, qu'il ne subit pas de violence physique ni verbale, que son développement n'est pas mis en danger, tout est correct.» Mais Louis-Marc désire plus. «Je veux aider les enfants et leur donner toutes les conditions nécessaires pour qu'ils se tiennent debout. Je veux réaliser pour eux un travail d'éducateur. Si l'enfant est un arbre, alors moi je veux être son tuteur. Si l'arbre pousse croche, je vais le tenir serré sur mon cœur de manière à ce qu'il pousse droit sans risquer de se casser.»

Ce que souhaite Louis-Marc par-dessus tout, c'est demeurer ouvert à la réalité de ces enfants. «J'aimerais développer chez eux la sagesse de pouvoir voir les alternatives qu'il y a chez nous, et les amener à faire des choix qui seront bons pour eux, de manière à faire d'eux de meilleures personnes.»

Stéphanie, à son tour, espère ne pas s'être trompée. «Je souhaite avoir la chance de voir éclater le bon qui est au fond d'eux. Je souhaite que quand ils penseront à nous, ils aient des images d'un havre de paix. Et que s'ils passent devant notre porte, ils aient le goût de frapper et d'entrer. J'espère que le moment de rencontre que nous aurons partagé avec eux aura laissé des traces que le temps n'effacera jamais.»

Francine Vincent

L'ULTIME RENCONTRE

On voudrait revenir à la page où l'on aime
et la page où l'on meurt est déjà sous nos doigts.
Alphonse de Lamartine

Dominique avait 15 ans. Nous étions assises côte à côte au premier rang dans la classe de mathématiques. Le professeur ne parlait pas très fort et nous nous étions ruées sur les premières places. Elle partageait mes cours de français, de mathématiques et d'anglais. Comme j'aimais son rire cristallin! Et mon plaisir était de la faire rire encore. Je me plaisais beaucoup en sa compagnie. J'aimais son jugement, son discernement sur les grands sujets d'actualité. Elle prenait toujours le temps de réfléchir avant d'émettre son opinion, qui s'avérait souvent très juste. Elle ne se laissait jamais manipuler par la *gang*. J'étais fascinée par l'être de Dominique.

À l'école, on nous voyait souvent ensemble parmi un groupe de filles inséparable. Souvent je me disais que si, un jour, elle m'invitait à souper chez elle, ce serait très significatif pour moi. Partager un repas m'a toujours paru le signe d'une rencontre véritable. Il me semblait que tant que je n'aurais pas mangé chez elle, notre amitié ne serait pas parfaite. On travaillait souvent ensemble à l'école, on faisait une bonne équipe, mais le jour où elle m'a invitée à manger chez elle après un après-midi de travail, je ne peux dire le bonheur qui m'a atteinte ce jour-là. C'était comme une alliance, un signe qu'elle tenait à notre amitié puisqu'elle venait la sceller par un repas pris avec les membres de sa famille. Ce jour-là restera toujours gravé dans mon cœur.

Chacune de nos rencontres était teintée de beaucoup d'humour. Le travail prenait une couleur nouvelle entre deux éclats de rire. Avec une infinie patience, elle savait trouver le moyen de me faire comprendre les difficiles problèmes de chimie ou de physique. Nous pouvions passer de longues minutes au téléphone, chacune proposant des solutions possibles. Nous faisions partie du même groupe de cheminement spirituel. Nous partagions nos aspirations, notre compréhension de la vie, notre quête de sens, notre intériorité. Et cette recherche était couronnée deux fois l'an par des camps où se mêlaient travail, partage, repas, vaisselle, réflexions et rire... Ô combien nous avons ri!

L'hiver, c'était la marche en raquettes sur le mont Royal et, l'été, la balade à bicyclette. Dominique pouvait marcher des heures pour se trouver une paire de chaussures à prix abordable, confortables, à la mode, chic. Elle marchait vite pour avoir le temps de tout voir, d'aller partout. Finalement, nous revenions souvent acheter l'article désiré au lieu de départ. La suivre dans sa course folle me faisait sourire. Elle avait un goût raffiné pour les vêtements, et elle portait tout avec beaucoup d'élégance et de féminité.

Malheureusement, nos vies se sont séparées au tournant de la vingtaine. Nous avions choisi des chemins différents qui, lentement, nous ont éloignées l'une de l'autre. Nous nous sommes reparlé l'année de nos 40 ans. Dès qu'elle répondit au téléphone, j'ai reconnu son rire cristallin et le lien s'est recréé comme si nous nous étions quittées la veille. Dominique est décédée des suites d'un cancer cinq ans plus tard. Elle était arrivée à l'ultime rencontre avec son Créateur. Entre la vie et la mort, il y a eu une rencontre inoubliable, riche de simplicité, mais qui a permis à deux êtres de partager des expériences uniques, qu'un cœur ne peut oublier.

Francine Vincent

POUR VOTRE RÉFLEXION

Dans l'Évangile selon saint Luc, on lit:

«Mais Pierre dit: Homme, je ne sais de quoi tu parles. À cet instant, tandis qu'il parlait encore, un coq chanta; et le Seigneur se retourna et regarda directement Pierre [...] et Pierre sortit et pleura amèrement.»

Mes relations avec le Seigneur étaient assez bonnes. Je lui demandais des choses, conversais avec lui, lui adressais des louanges, des remerciements. Mais, tout le temps, j'avais la sensation désagréable qu'il voulait que je le regarde dans les yeux. Et je n'osais pas. Je lui parlais, mais j'évitais son regard, dès que je sentais qu'il me fixait. J'évitais toujours son regard. Et je savais pourquoi: j'avais peur; je croyais que je découvrirais dans son regard une accusation pour quelque faute non regrettée; je croyais que j'y découvrirais quelque demande. Un bon jour, je pris mon courage à deux mains et regardai! Il n'y eut pas d'accusation, pas de demande. Les yeux ont simplement dit: je t'aime. Puis je sortis et, comme Pierre, je pleurai[1]. (Anthony De Mello)

* * *

Chez les femmes inuites

L'activité principale pour les femmes est de se rendre visite. Certaines m'ont fait la remarque: «Il n'y a pas beaucoup de choses

---

[1] DE MELLO, Anthony, *Comme un chant d'oiseau*, Montréal/Paris, Bellarmin/ Desclée de Brouwer, 1991, p. 89-90.

23

à faire ici, si l'on compare notre situation à celle du Sud, alors on se visite.» Au-delà de l'activité en elle-même, je crois qu'il y a une notion forte de partage, quels que soient l'âge et le statut.

Je mange par terre avec eux, pour que tout le monde soit au même niveau, puis j'ai le plaisir de mettre un enfant dans l'amauti (manteau pour porter les enfants), puis enfin je goûte à un poisson cuisiné par la mère de Quppia… Je plonge la main dans la marmite et je tombe sur l'œil, puis je suce mes doigts de bonheur, dans le bouillon de gras de béluga…

Odeurs de mer, présence de femmes aussi, conviviales, au rire franc et chaud, partage accompli d'un peuple qui sait donner, dans le calme, le sourire et l'humour. (Julie Moutard)

* * *

Une rencontre, c'est quelque chose de décisif, une porte, une fracture, un instant qui marque le temps et crée un avant et un après. (Éric-Emmanuel Schmitt)

* * *

Le rôle de l'être humain est de diminuer la solitude dans le monde; qui l'augmente se situe du côté de la mort. (Baal Shem-Tov)

2
UNE PAROLE POUR LA LIBERTÉ

LIBRES COMME LUI

*Dieu vous a doté d'un esprit ailé afin que
vous puissiez vous élancer dans le vaste
firmament de l'Amour et de la Liberté.*

Khalil Gibran

L'aspiration de l'homme actuel à la liberté se trouve à la source de beaucoup de critiques, de résistances et d'éloignements face à la religion, à l'Église. L'Évangile, pourtant, loin d'imposer des limites au désir de liberté offre une possibilité illimitée de libération.

Nombre d'hommes et de femmes ont appris, dans leur éducation, à sacrifier la vie plutôt qu'à la faire éclater. On a multiplié les signes routiers pour nous faire éviter les précipices du mal et du péché. On a peu mis en évidence les indications vers les chemins d'épanouissement et de libération de la personne. On a peu parlé de la joie de vivre, de la chance d'être avec Dieu pour faire gicler la vie en nous et dans notre milieu.

Plusieurs se sont détournés d'une religion qui leur limitait le droit de connaître, de penser, de critiquer, de choisir leurs valeurs morales et leurs amours. Ils ont rejeté dans l'agressivité ou l'indifférence les barrières qui les maintenaient dans la peur et la culpabilité, qui jetaient un voile de suspicion sur les plus beaux jaillissements de leur être: l'affectivité, la sexualité, l'art, la recherche scientifique, la quête spirituelle.

Voyant leurs élans de vie refoulés, n'ayant pas appris à les orienter vers un authentique développement personnel, ils se sont rués dans des directions qu'ils croyaient sans barrières et salvatrices: activisme, sexualité débridée, drogue, violence, course au succès professionnel, à l'enrichissement. Ils ont pu pendant quelque temps avoir l'impression de vivre intensément.

Une pédagogie de la peur devant la vie est pourtant opposée à l'esprit de l'Évangile qui clame une parole pour la vie en plénitude: «Moi je viens pour qu'on vive, qu'on ait la vie en abondance», affirme Jésus dans son testament. (Jn 10, 10) La visée essentielle du pèlerin chrétien est désormais de ressembler le plus possible à Dieu, à Jésus, qui sont les plus grands vivants.

Le Dieu de Jésus ouvre sans cesse à la vie (guérisons), au dépassement (Zachée), à la conversion (Paul), à la libération (possédés, Lazare). Et l'ouverture la plus radicale, et la plus précieuse pour nous, c'est la traversée de la mort dans la Résurrection. La Parole de Dieu revendique la vie même pour la mort.

La Parole de Dieu n'est pas une séquelle de mots. Elle est une Présence. Elle est un visage. Un visage qui convoque constamment à la vie multipliée. «Notre Dieu, dit Jésus, n'est pas le Dieu des morts, il est le Dieu des vivants.» (Mt 22, 32)

La Parole de Dieu invite chaque homme, chaque femme à se vivre totalement. Avec ses forces d'être. Avec ses limites. Et sans se sentir coupable d'être une créature inachevée et secouée par ses déviances et ses contradictions. Au bout de notre route, la seule question de Dieu sera peut-être: «Es-tu devenu toi-même?»

La Parole de Dieu, bellement personnifiée en Jésus, n'est pas pressée de parler de péché. Elle regarde avec douceur les cœurs emmêlés de bien et de mal et elle laisse, bienveillante, grandir ensemble le blé et l'ivraie. Le plus important pour elle n'est pas de contourner le risque d'une faute. Le plus important est de laisser danser la vie dans les personnes et les communautés.

La Parole de Dieu accompagne de bon cœur les pèlerins de la vie: elle s'adapte à la multiplicité des itinéraires; elle allège les pas ralentis par la fatigue, la peine ou la dépression; elle incite constamment les voyageurs à ressaisir dans la vérité et l'amour l'élan originel de leur marche.

L'Évangile n'est pas un pouvoir dominateur, une contrainte. Le Dieu de Jésus n'est pas une autorité qui exige la soumission. Il est appel, inspiration. «Il est Quelqu'un qui nous invite à devenir des personnes pleinement libres. L'Évangile vient à nous «comme la Bonne Nouvelle d'aujourd'hui, la plus brûlante, la plus passionnante, la plus magnifique[1]».

Nos aspirations les plus profondes, notre désir de vivre, de valoir, d'être, trouvent dans l'Évangile leurs plus belles racines, leurs sources les plus nourrissantes, les plus stimulantes. «L'Évangile, quand on le prend tout entier, et non en morceaux choisis, gicle en nous comme une source, il nous charrie comme un amour plus fort que tout, il nous dérange, nous bouscule, nous blesse, nous guérit, nous ressuscite[2].»

L'Évangile nous convoque à nous faire créateurs. Créateurs de notre vie sentimentale et sexuelle, de notre vie économique et sociale, de notre prière et de nos engagements. Dieu ne crée que des créateurs. Une décision libre se prend toujours pour un chrétien au carrefour de deux clartés: une clarté qui descend de l'Évangile et qui dit compassion, amour, justice, paix; et une clarté qui monte de la situation lucidement observée.

Jésus a été un homme libre. Libre face à sa famille: à son père et à sa mère inquiets de son absence il lance: «Pourquoi m'avez-vous cherché? Ignorez-vous qu'il faut que je m'occupe des affaires de mon Père?» (Lc 2, 49) Libre face à la classe sociale, à la nation: il s'échappe de la maison de Capharnaüm et s'en va vers la Galilée; il choisit le dépaysement. Libre face à la loi: il laisse ses apôtres froisser et manger des épis de blé un jour de sabbat. Libre face à l'autorité religieuse: il semonce vertement les scribes et les pharisiens qui accablent le peuple de préceptes qu'ils n'observent pas. Libre face aux puissants: durant son procès il se tait.

La liberté du Christ dans l'Évangile n'est pas seulement une liberté de parole. Il ne s'est pas contenté de rappeler des principes, de livrer un message de libération. Il a vécu une liberté en actes. Il a guéri, il a remis debout, il a fait voir des aveugles, il a noué des relations nouvelles, il a ouvert l'avenir des petits, des pauvres,

---

[1] PISON LIÉBANAS, R. M. de, *La fragilité de Dieu selon Maurice Zundel*, Montréal, Bellarmin, 1996, p. 22.

[2] GRAND'MAISON, Jacques, *Tel un coup d'archet*, Montréal, Leméac, 1983, p. 234.

des pêcheurs. Il va parfois plus loin dans ses gestes que dans ses paroles: il mange avec les publicains, il accepte les baisers de Marie-Madeleine, il échange avec la Samaritaine. Il scandalise sans remords.

Jésus met de la lumière dans les yeux du peuple. Les autorités disent: «Où va-t-on? Si on le laisse faire, on ne pourra plus maîtriser la situation.» C'est l'histoire du Grand Inquisiteur de Dostoïevski, qui dit à Jésus: «Es-tu sûr que tu as bien fait d'éveiller les gens à la liberté? Nous, nous savons ce qui est bon pour le peuple et nous nous en occupons...»

Les croyants libres sont ceux qui agissent, à la manière du Christ, selon leurs convictions et non selon leurs intérêts. Dans l'Église, le message de libération passe difficilement parce que trop souvent il est porté par des hommes qui vivent enchaînés au légalisme, au carriérisme, à l'obéissance infantile. Qui vivent par procuration, ballottés par les qu'en-dira-t-on, les images et les postes à préserver. Ils sont des papillons secoués par les vents de la peur et de l'ambition.

Être libre, c'est s'appartenir à soi-même, c'est être maître dans sa maison. C'est savoir l'orientation profonde de sa vie et unifier ses choix en conséquence. C'est donner sens à son existence entière. Être libre, c'est être vrai avec soi-même et avec les autres. La démarche de libération impose que l'on refuse de parader avec des masques. Que l'on fasse la pleine lumière sur soi pour accéder au meilleur de soi et le faire grandir. Le croyant qui est vrai avec lui-même trouve son chemin et aide les autres à trouver le leur. Il s'humanise et incite sa communauté à s'humaniser.

Dans l'Évangile, il n'y a pas de liberté sans amour. Le disciple de Jésus, en obéissant à sa conscience qui lui demande de vivre le pardon, la paix ou la justice, aime Quelqu'un qui l'aime. Il est libre pour aimer et pour servir dans la générosité et le respect de lui-même et des autres.

L'institution redoute les membres qui veulent devenir eux-mêmes. Il lui faudrait tenir compte de ce que chacun pense, dit et veut être, susciter des débats ouverts, instaurer des modes de participation. Il est évident que le fonctionnement actuel de l'Église n'est pas accordé à l'homme moderne. Si l'Église n'apprend pas à accueillir les jeunes et les adultes d'aujourd'hui avec leurs exigences d'autonomie, de responsabilité et de liberté de conscience — qui sont des valeurs évangéliques, — comment pourra-t-elle leur annoncer l'Évangile?

Dans l'Église, il y a peu de responsables qui parlent avec liberté. On le voit clairement quand ils sont face à des dossiers chauds: l'égalité des femmes dans l'Église, le mariage des prêtres, les divorcés remariés, la célébration communautaire du pardon. Pour vivre la fraternité et la solidarité, il n'est pas nécessaire que tout le monde pense et agisse de la même façon. La liberté évangélique dénonce l'uniformité et la soumission servile. L'obéissance authentique est aussi confrontation et dialogue. La communion sur l'essentiel favorise la nécessaire liberté de croyance et d'engagement.

La liberté chasse la peur qui nous empêche d'être nous-mêmes et d'agir, de laisser les autres être eux-mêmes et agir. Mallory, le héros de l'Everest, disait que la lecture de l'Évangile avait supprimé en lui la peur, que c'est par Jésus qu'il avait eu la vaillance de vaincre l'Himalaya. L'Évangile a également inspiré la courageuse philosophie de non-violence de Gandhi, Martin Luther King, Nelson Mandela.

La liberté du Christ est exigeante, difficile à porter. Elle éveille, elle stimule, elle ne protège pas. Elle remet en question nos valeurs, nos choix, notre style de vie. Elle secoue nos sécurités, nos privilèges. Elle appelle des révisions, des changements. Nous résistons. L'institution se protège et se durcit. La liberté fait peur et nourrit les préjugés. Helder Camara notait: «Quand j'aime les pauvres, on dit que je suis un saint. Quand j'aide les pauvres à devenir responsables, à se tenir debout, on dit que je suis un évêque rouge.»

Dans l'institution ecclésiale, malgré ses rigidités, ses enfermements et ses réflexes de crainte, il y a des croyants qui vivent leur foi dans une fascinante liberté. Ils prennent des initiatives de libération, ils humanisent en solidarité leur communauté. Ces croyants ont écouté le Maître de l'Évangile et ils sont passés à l'action. Je pense à des responsables de maisons pour femmes violentées, pour personnes handicapées, pour sidéens. Je pense aux jeunes militants de mouvements chrétiens qui embellissent l'école et l'université par leur engagement pour la tolérance, la paix, l'égalité, la responsabilité. Je pense à des agents de pastorale qui respectent le cheminement de foi des paroissiens au-delà des directives légalistes et stériles.

L'Évangile révèle à travers la personne de Jésus la liberté libératrice de Dieu. Libérer la vie en soi, chez ses voisins et dans sa communauté, voilà l'amour vrai. Aimer réellement les personnes, c'est vouloir qu'elles soient pleinement elles-mêmes. Et aussi heureuses que possible. Le disciple de Jésus ne peut être libre s'il n'aide pas les autres à le devenir. L'Église a la responsabilité d'annoncer le Dieu libérateur. Elle sera fidèle à sa mission dans la mesure où elle se fera elle-même libre et libératrice.

Vivre l'Évangile, c'est choisir Jésus comme éducateur de la liberté des individus, des groupes et de l'institution. Jésus est l'exemple sublime et redoutable d'un homme fidèle à lui-même, à ses choix, à sa conscience, jusqu'au risque de la confrontation, du rejet et de la mort. Il est le témoin séduisant de la liberté de Dieu sur la Terre des hommes. Et Il nous appelle à prolonger ses pas.

Heureusement, il a promis de nous accompagner sur les chemins de lumière et de rocaille de la liberté:

Quant à moi, je suis avec vous, chaque jour,
jusqu'à la fin des Temps. (Mt 28, 20)

Yvon Poitras

TÉMOIN
SIMONE WEIL

Simone Weil est née à Paris en 1909. Fille d'un médecin, élève du philosophe Alain, elle fit de brillantes études à l'École normale supérieure. Elle a enseigné la philosophie dans quelques lycées, exprimant ouvertement des idées contestataires. Elle n'adhéra jamais à un quelconque parti politique. Elle voulait défendre les faibles et les opprimés, quelles que fussent leur origine, leur race ou leur religion.

Sa solidarité avec les plus pauvres lui fit quitter l'enseignement après quelques années. Elle s'engagea discrètement comme manœuvre dans les usines Renault. Logée dans un quartier ouvrier, elle vivait uniquement de son travail. Après un an et demi, une pleurésie la contraignit à quitter son emploi.

Ardente militante, elle alla rejoindre les Rouges durant la guerre d'Espagne. Elle ne voulut jamais se servir de ses armes. Elle fut davantage une animatrice intellectuelle qu'une combattante. Un accident physique l'obligea à retourner en France où ce fut bientôt la guerre et l'occupation allemande. Elle fut alors accueillie en province chez l'écrivain Gustave Thibon. Elle travailla dans les environs comme ouvrière agricole. Ses parents redoutaient de plus en plus les rafles de la Gestapo. Elle les suivit de mauvais cœur aux États-Unis.

Désireuse de partager totalement les misères du peuple français, elle rejoignit à Londres, en 1942, le mouvement de la Résistance. Par solidarité, elle s'imposa un rationnement extrême. Minée par la faim et la phtisie, elle dut être hospitalisée. Elle refusa toute attention spéciale. Transportée à la campagne, elle y mourut en 1943. Elle avait 34 ans.

Simone Weil, chrétienne d'origine juive, a vécu la liberté dans la fulgurance de l'absolu.

Une femme libre

Simone Weil, qui savait les conditionnements qui manipulent notre univers mental et affectif, s'émerveillait devant le Dieu humble qui a voulu «laisser régner à sa place l'autonomie essentielle aux personnes humaines». Elle pensait que la liberté de l'être humain, même limitée, est très réelle, qu'elle annonce notre dignité et notre parenté divine.

Une braise ardente enflammait l'âme de cette femme: la passion de l'absolu. Cette passion l'a menée sur des chemins étonnants, souvent improvisés. L'important pour elle était que son action exprime l'élan le plus vif de son cœur, sa «nécessité intérieure». Elle ne mesurait pas toujours les limites de la réalité, elle se souciait peu de prévenir les réactions adverses, elle agissait constamment avec une entière générosité. Elle disait: «Le saint va vers le bien comme l'abeille va vers la fleur.»

Simone Weil reconnaissait la grandeur et la nécessité des valeurs temporelles telles la famille, la patrie, la culture. Elle recommandait cependant de les assumer avec un grand détachement de peur qu'elles ne virent en idoles déshumanisantes. Elle vivait un désintéressement radical envers les réalités qui étaient pourtant ses plus précieuses richesses: son génie, ses convictions, sa ferveur mystique. Elle voulait que son moi s'efface pour qu'il ne fasse plus écran entre Dieu et les hommes, pour que «le Créateur et sa créature puissent échanger leurs secrets».

Elle était dégagée des regrets et des culpabilités liés au passé, et aussi des rêves qui dessinent illusoirement l'avenir. Le temps de son existence était le présent, le seul lieu vrai d'une authentique démarche spirituelle: «L'homme ne se sauve que dans l'instant nu.»

Elle estimait que la liberté impose de maintenir une distance du cœur même envers les amis les plus chers. La générosité, pensait-elle, peut dévorer l'être et le rendre stérile: «Dévouez-vous entièrement à quelqu'un: vous n'existez pas pour lui.» À Gustave Thibon, devenu un confident précieux, elle écrit: «Bientôt il y aura la distance entre nous. Aimons cette distance entièrement tissée d'amitié, car ceux qui ne s'aiment pas ne sont pas séparés... S'il vous arrive de penser à moi, ce sera comme à un livre qu'on a lu dans son enfance. Je voudrais ne jamais tenir d'autre place dans le cœur d'aucun des êtres que j'aime, afin d'être sûre de ne leur causer aucune peine[1].»

Libre dans la société

Simone Weil n'a été enrôlée par aucune idéologie collective. Son amour du peuple, sa haine de toute forme d'oppression, ses flambées critiques n'en font pas une révolutionnaire; son attachement au plus vivant de la tradition n'en fait pas une conservatrice. Ses choix avaient leur origine dans son authenticité personnelle. Elle ne jouait pas avec sa conscience.

Elle était d'une indépendance totale face au succès professionnel, au prestige social. À un inspecteur général de l'enseignement qui la menaçait de sanctions pouvant aller jusqu'au congédiement, elle répondit en souriant: «Monsieur l'inspecteur, j'ai toujours considéré la révocation comme le couronnement normal de ma carrière.»

Elle était allergique à toute concession aux convenances sociales. Elle exprimait son avis ouvertement devant tout le monde et en toute situation. Cette sincérité, qui était chez elle le signe de son respect pour les personnes, lui apporta bien des ennuis. Voici une anecdote significative: «Soupçonnée non sans raison d'activités antigouvernementales, elle fut invitée par un magistrat plein d'indulgence à signer une déclaration de loyalisme qui mettait fin à l'enquête. Elle s'y refusa énergiquement. — Sans ce document, dit le juge, je serai obligé de vous arrêter et vous, agrégée de l'Université, vous subirez la promiscuité des prostituées. — Monsieur, c'est la grâce que j'ai toujours désirée. — Vous vous moquez de la justice? — Je m'en

---

[1] WEIL, Simone, *La pesanteur et la grâce*, Paris, Plon, 1948, p. VIII.

moquerais si comme vous m'y invitez si aimablement, je signais une déclaration que réprouve ma conscience... Tant de candeur désarma le juge[2].»

Simone Weil redoutait la tendance du social à se faire poison, à ravir la liberté des citoyens et à se substituer à Dieu. Elle reconnaissait cependant la nécessité de la Cité qui peut, à certaines conditions, aider «à vivre en homme et à rejoindre Dieu». Elle ne rêvait pas d'une société d'une impossible pureté. Elle rêvait simplement d'une société qui étoufferait le moins possible la liberté des hommes et des femmes, qui laisserait filtrer le divin jusque dans l'intimité des consciences.

Au-delà de son irréductible soupçon face à l'organisation sociale, elle considérait que l'enracinement est un besoin essentiel de l'être humain. Le contact avec la nature, les liens avec l'histoire, la sauvegarde d'une tradition libératrice lui semblaient des conditions nécessaires à un authentique développement personnel.

Libre dans sa foi

Simone Weil vivait une foi dépouillée, pointée vers le plus important: le Christ, dont elle était une amante héroïque, et les grands mystères: l'Incarnation, la Rédemption, la Trinité, l'Eucharistie. Elle était émerveillée par la beauté de l'ensemble de la foi chrétienne. Elle méditait chaque jour des textes de l'Évangile.

Même si elle était exceptionnellement douée pour la réflexion philosophique, son itinéraire spirituel était à l'évidence mystique, de l'ordre de la charité, aurait dit Blaise Pascal. Il était l'aventure d'une amoureuse en quête de Dieu. Elle dénonçait rudement toute forme d'exaltation ou de délire religieux. Sa foi s'actualisait dans des actions concrètes, souvent audacieuses. «Son mysticisme n'avait rien de commun avec ces spéculations religieuses sans engagement personnel qui sont souvent le seul témoignage des intellectuels tournés vers les choses de Dieu[3].»

---

[2] Thibon, Gustave, *Au soir de ma vie*, Paris, Plon, 1993, p. 113.

[3] *La pesanteur et la grâce*, p. III.

Chrétienne jusque dans les dernières fibres de son être, elle n'est jamais entrée dans l'Église catholique, qu'elle admirait pourtant comme porteuse de grandes vérités. Elle était arrêtée par ce qu'elle appelait «le gros animal totalitaire»: la tendance de l'Église à l'inquisition, à la condamnation, sa prétention à posséder toute la vérité, son enfermement des mystères dans des formules définitives. Elle y voyait un manque de respect de l'intelligence et de la liberté de ses membres.

Pour elle, la foi est une expérience de l'intelligence, du cœur et de la grâce: «Quand on écoute du Bach ou une mélodie grégorienne, toutes les facultés de l'âme se taisent et se tendent pour appréhender cette chose parfaitement belle, chacune à sa façon. L'intelligence entre autres, elle n'y trouve rien à affirmer et à nier, mais elle s'en nourrit. La foi ne doit-elle pas être une adhésion de cette espèce? On dégrade les mystères de la foi en en faisant un objet d'affirmation ou de négation, alors qu'ils doivent être un objet de contemplation... L'attention, à son plus haut degré, est la même chose que la prière. Elle suppose la foi et l'amour. Il s'y trouve liée une autre liberté que celle du choix. À savoir la grâce[4].»

Simone Weil désirait libérer l'intelligence: il ne faut pas, pensait-elle, que l'Église impose ses vérités en exigeant une adhésion inconditionnelle. Elle voulait aussi inspirer l'intelligence: les vérités sont là pour que le croyant les contemple avec une attention confiante, dans la prière et l'amour. Elle voulait que l'enseignement de l'Église soit accueilli sans conformisme facile. Il lui apparaissait normal de ne croire que ce qui est croyable, de se dire ses motifs de croire. Elle soulignait que dans la foi la connaissance s'accompagne toujours d'ignorance, que l'expérience de foi est une avancée vers une plus grande vérité.

Elle abhorrait le mot «infaillible». Elle affirmait l'impossibilité pour une Église qui évolue de se penser infaillible. Elle voyait que l'Église s'est parfois trompée, qu'elle n'a été que relativement fidèle aux enseignements de Jésus, qu'elle n'a pas rempli totalement

---

[4] Citation de Simone Weil tirée de l'*Encyclopédie de l'Agora* dans Internet.

sa vocation libératrice. Elle trouvait inacceptable, épouvantable, la formule: «Hors de l'Église, point de salut.» Elle y décelait une triste caricature de la divinité qui rend presque impossible, en ouvrant l'enfer à la majorité des humains, la foi dans le vrai Dieu qui est un Dieu Amour.

Face aux dogmes, sa position lumineuse respecte totalement la liberté des croyants: l'Église a la mission de proposer les grandes vérités de la foi, mais elle n'a pas le droit de les imposer. Elle aurait sans doute apprécié cette recommandation de Jean-Paul II aux jeunes d'Espagne: «Restez à l'écart de toute forme d'intolérance. Témoignez que les idées ne s'imposent pas, mais se proposent[5].» Et elle aurait vivement souhaité qu'il transmette son message au Vatican!

André Naud, théologien respecté, a retrouvé — peu avant sa mort — dans la conception de la fidélité et de la liberté de Simone Weil la joie et la sérénité face à son Église: «Je dois à Simone Weil, confie-t-il, la bienheureuse manière de croire qui est désormais mienne. Je le dois à cette chrétienne qui tenait à être totalement libre dans l'exercice de son intelligence, tout en étant modeste devant le mystère de Dieu[6].»

J'admire la magnifique liberté de Simone Weil,
comme personne et comme croyante,
même si mes pas trop esclaves hésitent à prolonger
sa marche dans le feu de l'absolu.
Ma rencontre avec cette jeune mystique éblouissante
a été une très heureuse visitation.

Yvon Poitras

---

[5] *Le Devoir*, 5 mai 2003, A4.

[6] Collectif, *Itinérances spirituelles*, Montréal, Médiaspaul, 2002, p. 207.

TRANSFIGURATION

Elle vivait obsédée par les millions à engranger.
Elle obéissait servilement aux marées capricieuses de la mode.
Elle était hantée par des rêves de confort, de promotion,
d'image sociale.
Elle valsait ses amours d'aventure en brisure.
Elle prolongeait les aliénations et les blessures de son enfance.
Elle refusait de faire la clarté sur ses dépendances intimes.
Elle se recroquevillait dans un narcissisme destructeur.
Elle courait ses heures dans une impatience fébrile.
Elle était aveugle aux détresses de ses voisins, de son quartier.
Elle étouffait les cris de son âme assoiffée de libération.

À 42 ans, un cancer a mordu rageusement la beauté
de son corps de femme.

Lentement, la maladie a converti son regard
et les barreaux de sa prison lui sont devenus visibles.

Elle a alors choisi de délivrer les plus vivantes sources
de son être.
Elle a amorcé des pas d'humanité dans une patiente
et lucide quête spirituelle.

Elle a découvert le bonheur du détachement et de la simplicité.
Elle a muté son esclavage mondain en respect
de sa personnalité.
Elle a délaissé son souci de l'aisance matérielle
et de la parade publique.
Elle s'est offert le temps de visiter ses geôles intimes.

Elle a déverrouillé les rigidités de son éducation.
Elle a vécu ses jours dans un rythme pacifié par la détente,
la prière, le silence.
Elle a retissé ses liens amoureux dans la liberté et la continuité.
Elle a ouvert son cœur à l'écoute et à la compassion.
Elle a voué ses ressources à l'adoucissement de la pauvreté
et de la solitude.

Après un long temps, elle a découvert une sérénité joyeuse,
inattaquable,
désormais compagne dans sa rude maladie,
et encore devant sa mort[1].

J'admire cette femme. Elle a vécu pleinement la parole lumineuse de Jésus de Nazareth:
«La vérité vous rendra libres.»

Yvon Poitras

---

[1] Ce texte est inspiré de l'autobiographie de Gill Bronfman.

POUR VOTRE RÉFLEXION
OSER VIVRE

Une loi fondamentale précède et éclaire toute autre loi, civile, morale ou religieuse. Elle s'énonce ainsi:

> Article unique: Il faut vivre.
> Il n'y a pas d'article second.

Il faut vivre. Avec avidité. Avec intensité. Car rien n'est vrai que vécu.

Si la foi en Dieu et en Jésus ressuscité était de quelque manière un carcan à la passion de vivre, je refuserais la foi.

Ce qui est merveilleux dans la foi, c'est qu'elle ne cesse jamais de dilater dans l'exigence et le combat la ferveur de vivre, jusqu'à l'ivresse, et la passion d'être homme, la passion d'être femme, et la célébration du couple, et toutes les splendeurs de la chair et du sang et toutes les lumières, le rire et le sanglot.

Vivre. Étreindre. Même le malheur.

Vivre: les deux bras tendus sur l'orchestre et décider l'instant où la vie va danser, chanter, crier, pleurer peut-être. Mais vivre.

J'écris cela le cœur plein d'évangile, l'évangile du Golgotha, et celui de la résurrection.

Il faut vivre.

Toutes les promesses de Jésus dans l'évangile de Jean sont promesses de vie.

Il faut oser vivre[1].

Jacques Leclerc

---

[1] LECLERC, Jacques, *Debout sur le soleil*, Paris, Seuil, 1980, p. 13.

3
UNE PAROLE POUR LA SOLIDARITÉ

L'ouverture à l'autre est un passage privilégié
vers un ciel de lumière, de joie, d'espérance.

VOUS AVEZ DIT: SOLIDARITÉ?

Ce qui compte, ce sont les liens d'affection
qui relient les gens entre eux,
formant une toile immense et invisible
sans laquelle le monde s'écroulerait.
Jacques Poulin

Qui n'a pas entendu, dans toutes les villes du monde, lors de grandes manifestations publiques, ce slogan aux premières syllabes fortement accentuées par des milliers de participants: *so-so-so-solidarité!* Ce mot, aux consonances fortes, porteur d'images et d'actions souvent controversées, ne date pas d'hier. Il a une longue histoire, celle de tout être humain en relation avec ses semblables depuis les origines de l'humanité. Pour survivre dans un univers hostile, pour le domestiquer, il a fallu nécessairement que s'exerce la solidarité entre les premiers habitants de la terre.

Le thème de la solidarité est complexe puisqu'il implique plusieurs connotations dans le champ de la pensée, illustrant une valeur tant philosophique, morale, sociale et politique qu'économique. La solidarité, en tant que discours et constituée en idéologie, est née au XIXᵉ siècle. Dès la moitié de ce siècle, l'affirmation de la solidarité comme élément de progrès et but ultime de la société traversait la pensée politique de l'Europe.

En France, ce fut la révolution de 1848 qui donna naissance au concept de solidarité, mais des pratiques antérieures tels les mouvements coopératifs et associatifs existaient déjà, surtout entre les membres des classes pauvres. Ce principe, appelé *solidarisme* voulait surtout combattre les injustices les plus flagrantes et les effets des inégalités de classes, par un nouveau contrat social, établissant des droits et des obligations reconnus par tous.

L'instigateur de ce principe, c'est Léon Bourgeois, grand défenseur français des droits humains et Prix Nobel de la paix en 1920 qui, dans son livre *Solidarité* publié en 1896, expose cette idée géniale:

> Chaque individu, totalement libre, est cependant lié à la chaîne des générations qui le précèdent comme à la société dans laquelle il vit, qui lui ont apporté le progrès accumulé au cours des siècles et lui permettent de bénéficier du travail de ses contemporains. En contrepartie, il doit acquitter sa part de ce quasi-contrat en acceptant de remplir le droit social que l'État est en droit d'exiger de lui, au nom de la société, par exemple sous la forme du paiement de l'impôt, qui permettra d'aider les plus démunis[1].

Grand humaniste, il a introduit cette notion dans la philosophie, voulant surtout remplacer la charité du christianisme par la solidarité humaine, notion plus laïque et, selon lui, plus conforme à son époque. Il a ainsi défini la solidarité sous les deux aspects qui seront désormais retenus avant tout: à savoir la solidarité-fait et la solidarité-devoir qu'il ne faudra jamais confondre.

La solidarité-fait se caractérise par «la dépendance réciproque, c'est-à-dire le caractère des êtres ou des choses liés de telle sorte que ce qui arrive à l'un d'eux retentisse sur l'autre ou sur les autres». Quant à la solidarité-devoir, c'est «le devoir moral d'assistance, qui est censé résulter de ce fait que les générations présentes ont une dette à l'égard du passé». Selon lui, «il est indispensable de constater la première pour apercevoir la nécessité morale de la seconde», tout cela dans l'idée d'une continuité nécessaire et créatrice. Ces deux aspects se retrouvent dans toutes les définitions données par les différents dictionnaires.

Aujourd'hui, la notion de solidarité va au-delà de cette conception et inclut des domaines essentiels, tels le droit à la paix, au développement et à la sécurité alimentaire, le monde du travail,

---

[1] Commentaire de Serge BERSTEIN, en 2001, à propos de la commémoration de la naissance de Léon Bourgeois.

l'éducation, la santé et l'environnement, ainsi que l'impératif de coopération entre l'ensemble des peuples de la terre. Dans un siècle de mondialisation, la solidarité constitue dans les sociétés contemporaines une référence incontournable, dont dépend le bien-fondé de l'ordre social et politique de chacune d'elles.

La littérature sur le thème de la solidarité est abondante. La question est de savoir, lancent la plupart des auteurs et des spécialistes, quelles sont les formes de solidarité qui produisent un rendement économique et social positif et celles qui constituent un risque d'appauvrissement direct ou indirect des individus et des peuples. «Enseigner la compréhension entre les humains est la condition et le garant de la solidarité intellectuelle et morale de l'humanité», écrit Edgar Morin. Compréhension qui entraîne une certaine prise en charge des plus démunis de ce monde, sans quoi l'humanité retourne à la barbarie. Une prise en charge qui sera effective non seulement pour se donner bonne conscience, mais afin de reconstruire le monde et recréer les liens plus fraternels.

Mais les intérêts divergents des grandes et riches nations ou des puissantes multinationales viennent souvent entraver ou détruire les fruits de cette compréhension. Comment lutter contre les monopoles de tels géants? Comment trouver une autre voie globale que le néolibéralisme si destructeur? Que devient la solidarité?

«La solidarité est débordée quand la pauvreté aiguise la faim.»

Plus encore aujourd'hui qu'hier, la cause première de la pauvreté dans le monde et de la misère humaine réside dans l'exploitation de l'homme par l'homme. Un auteur anonyme écrit: «La plus grande violence que les hommes s'infligent entre eux est la misère qui, au-delà de la pauvreté, plonge une partie de l'humanité dans l'inexistence.»

On peut considérer la pauvreté sous deux angles: structurel et conjoncturel. Une pauvreté «structurelle» est produite par un système économique et social, despotique et souvent totalitaire, en vigueur dans une région ou un pays donnés et est révélée par des «poches de pauvreté» identifiant des populations et des territoires laissés pour compte ou abandonnés à leur triste sort. La presse écrite et parlée nous en rappelle l'existence quotidiennement. Pensons à certains pays d'Afrique, d'Amérique centrale ou d'Amérique du Sud. Pensons à certaines populations même en pays industrialisés.

C'est à juste titre qu'Edgar Morin écrit: «La perte de la responsabilité (au sein des appareils techno-bureaucratiques compartimentés et hyperspécialisés) et la perte de la solidarité (due à l'atomisation des individus et à l'obsession de l'argent) mènent à la dégradation morale et psychosociale, puisqu'il n'y a pas de sens moral là où il n'y a ni sens de la responsabilité, ni sens de la solidarité[2].»

La pauvreté dite «conjoncturelle» résulte de cataclysmes (tremblements de terre, inondations, sécheresses), d'endémies ou de guerres, qui dévastent une région ou un pays donnés. Encore ici, les exemples se multiplient à l'échelle de la planète. Nul besoin de rappeler le terrible tsunami du 26 décembre 2004, la pire catastrophe depuis 40 ans, qui a dévasté en quelques secondes plusieurs pays du Sud-Ouest asiatique: le Sri Lanka, l'île de Sumatra, la Malaisie, le sud de l'Inde et de la Thaïlande, entraînant dans la mort des centaines de milliers de personnes et détruisant tout sur son passage. À ce cataclysme, il faut ajouter l'ouragan Katrina survenu le 6 septembre 2005, l'un des plus violents à jamais frapper le sud des États-Unis sur les côtes du Mississipi, de la Louisiane et de l'Alabama; et le terrible tremblement de terre survenu le 8 octobre 2005 qui a secoué principalement le Cachemire indien près de la frontière entre l'Inde et le Pakistan faisant des milliers de victimes et de sans-abri.

Dans les deux formes de pauvreté, la détresse est visible. Très vite, la solidarité internationale s'organise grâce à la Croix Rouge, à Médecins du Monde et à plusieurs autres organismes non gouvernementaux (ONG). Une solidarité effective et énergique se met en branle pour combattre la faim, la misère, la pauvreté, empêcher les épidémies et favoriser la reconstruction. Les défis à relever semblent parfois insurmontables.

---

[2] MORIN, Edgar, *Éduquer pour l'ère planétaire*, Paris, Balland, 2003, p.116.

Concernant la solidarité nationale, celle qui se vit à l'intérieur d'un pays, d'une nation, d'une province, d'une région, des institutions et des programmes sociaux ont été mis en place pour venir en aide aux personnes. Les plupart des grands États se sont donné un ministère de la Solidarité auquel ils ajoutent d'autres domaines, tels le Travail, la Famille, etc. Les pouvoirs publics ont la mission de veiller au développement harmonieux de la société dans une perspective de promotion individuelle et collective. Confucius écrivait six siècles avant notre ère: «Sous un bon gouvernement, la pauvreté est une honte; sous un mauvais gouvernement, la richesse est aussi une honte.»

Sur le plan local, des villes ou des municipalités, de multiples actions de solidarité de proximité sont mises en œuvre au quotidien par des organismes d'entraide et du monde associatif. Mentionnons spécialement Centraide — *des gens qui aident des gens qui aident des gens* — qui recueille chaque année des millions de dollars afin de soutenir différentes œuvres qui viennent en aide aux plus démunis.

À plus petite échelle, c'est la reconnaissance d'un quartier, d'une communauté, dont on partage les luttes, une lutte quotidienne commandée souvent par la nécessité ou l'urgence. Depuis des décennies, on voit les initiatives populaires se multiplier: cuisines et jardins collectifs, S.O.S. Moissons partagées, popotes roulantes, centres de jour et de nuit pour gens en difficulté, systèmes d'échanges locaux (SEL), pour n'en nommer que quelques-uns.

Sur le plan personnel, une véritable éducation à la solidarité implique d'abord une ouverture à l'autre, puis une authentique écoute de l'autre, l'écoute de la disparité, de la singularité, de la marginalité, selon les impératifs de la tolérance et de la fraternité; une mentalité de partage, partage des ressources, du savoir; et une bonne dose de générosité; certains y incluent la simplicité volontaire comme discipline de vie, ce qui permet d'éviter la consommation effrénée, le gaspillage et la dépendance aux tendances perverses de la publicité.

Le Christ Jésus nous a montré le chemin de la charité la plus effective, celui que nous sommes appelés à suivre tout au long de notre existence, parfois jusqu'au don de notre propre vie. Et le grand commandement qui résume tout cela, c'est celui de l'amour concret si magnifiquement illustré dans l'évangile de Matthieu: «J'ai eu faim et vous m'avez donné à manger, j'ai eu soif, et vous m'avez donné à boire; j'étais un étranger, et vous m'avez accueilli, nu, et vous m'avez vêtu, malade, et vous m'avez visité, prisonnier, et vous êtes venus me voir.» (Mt 25, 27-31) Toutes les situations-limites de l'être humain y sont évoquées. Elles interpellent notre solidarité. Au dernier soupir, nous serons interrogés sur cette grande question: avons-nous aimé Dieu et nos frères?

En définitive, la solidarité est une riche vertu qui se nourrit de dignité, de présence, de générosité, d'engagement et d'amour. Le poème intitulé *Espoir*, de Paul Éluard, nous signifie que la solidarité, en quelque sorte, c'est la vie à partager, une vie qui devient une «plus-vie» pour bien des gens...

> *La nuit n'est jamais complète.*
> *Il y a toujours puisque je le dis, puisque je l'affirme,*
> *Au bout du chagrin une fenêtre ouverte,*
> *une fenêtre éclairée.*
> *Il y a toujours un rêve qui veille, désir à combler,*
> *faim à satisfaire,*
> *Un cœur généreux, une main tendue, une main ouverte,*
> *des yeux attentifs,*
> *Une vie, la Vie à partager.*

Denise Lever

TÉMOINS

JUDI, DAN ET RICHARD

Ils sont nombreux, les témoins de la solidarité à travers le temps et l'espace. Tous ces envoyés, ces collaborateurs, ces coopérants, ces milliers de missionnaires, religieux et laïcs qui ont consacré leur vie au service des exclus et des démunis de la société, dans leur propre pays ou en sol étranger, se rendant solidaires des populations qui les ont accueillis, partageant leurs richesses de cœur, leurs savoirs, leurs ressources matérielles et spirituelles.

Des figures de proue me viennent instantanément à la mémoire: Mère Teresa, l'Abbé Pierre, André Fol, Lucille Teasdale, Jean Vanier, Norman Bethune, le cardinal Paul-Émile Léger, le père Emmett Johns, etc. Plusieurs livres ont déjà raconté leur vie, leurs hauts faits, mettant en évidence leur grande générosité et leur dévouement sans limites.

Dans ces lignes[1], je veux rendre hommage à quelques témoins bien de chez nous, des figures connues, celles qu'on voit à la télévision ou sur la scène, qui sont devenues des porte-parole crédibles dans la défense des droits des plus démunis et des exclus de notre société. Je veux parler de certaines personnalités du milieu artistique québécois, celles qui, depuis une décennie ou plus, s'engagent régulièrement à soutenir une cause. Je veux témoigner de leur générosité, de leur fraternité, de leur intense solidarité avec les *poqués* de l'existence. Et ces causes sont nombreuses:

---

[1] Ces lignes s'inspirent d'un excellent article de Chantal Guy intitulé «Le porte-parole et sa cause: une histoire d'amour», paru dans le quotidien *La Presse*, le samedi 20 décembre 2003.

Les Auberges du cœur, la Grande Guignolée des médias, le Show du Refuge, le club des Petits Déjeuners, le Chic Resto Pop, Les Artistes pour la Paix, Eau-Secours. Autant de lieux où se tissent des liens d'une solidarité sans faille.

D'aucuns pourront poser certaines questions: pourquoi des artistes ou des acteurs acceptent-ils de s'associer à une cause ou à un organisme? Est-ce pour auréoler leur image? Quelles sont les raisons profondes qui sous-tendent leur engagement? On les voit enfiler les entrevues sur diverses chaînes à titre de porte-parole de tel ou tel organisme. On les retrouve à toutes les tribunes qui sollicitent leurs propos. Bien sûr, ils apportent une certaine visibilité médiatique aux problèmes sociaux de notre société. Ce qu'on observe surtout, c'est qu'ils s'engagent avec toute leur personnalité, leur grand cœur et leurs richesses d'être qu'ils partagent volontiers.

Judi Richards

Je veux mentionner d'abord la chanteuse populaire Judi Richards qui manifeste déjà, dans ses deux premiers albums, ses grandes préoccupations sociales et humanitaires. Dans un troisième album, qui s'intitule *Fille de l'humanité*, sa vision est planétaire: elle chante «la pauvreté des habitants des régions qu'elle a visitées, la prise de conscience de la petitesse de l'être humain face à l'immensité de la Terre et de ses injustices». Avec son mari, Yvon Deschamps, elle a soutenu, durant plusieurs années, Le Chaînon, un organisme qui vient en aide aux femmes démunies. «Je me sens liée aux femmes de partout au monde. J'ai fait le tour du monde pour voir des femmes qui se regroupent afin de s'en sortir et j'ai l'impression que nous marchons toutes ensemble. C'est difficile d'aider les femmes au Cambodge, mais on peut aider les femmes d'ici.»

Rien n'arrête cette femme: des bazars aux omniums de golf, des brunchs aux spectacles-bénéfice, elle est là, présente, active, compatissante. Elle donne aussi de son temps à Oxfam Québec, organisme voué à la coopération et à la solidarité internationale, puis au Défi sportif, grand événement annuel pour des athlètes handicapés, elle participe à un projet avec la communauté des malentendants, elle s'est même engagée à parrainer une rivière avec la coalition Eau-Secours.

Interrogée sur le sens du partage, elle répond: «Il y a deux sortes de partage dans ma tête. Le temps et l'argent qu'on peut donner à des organismes, bien sûr, mais je sens qu'il y a aussi un partage qu'on ne doit pas confondre avec le don de soi; c'est le partage de ses émotions, de l'amour. Il arrive qu'on partage un moment de notre vie, une souffrance commune. Ce sont parfois des partages qui créent des liens indestructibles.»

J'admire cette femme: la trajectoire de sa solidarité envers les démunis m'impressionne et stimule mes engagements.

Dan Bigras

Un autre auteur, compositeur et interprète, devenu acteur, cinéaste, qui me rejoint particulièrement, c'est Dan Bigras, notre Dan national, figure de *grand bum* de bonne famille tellement sympathique et touchante, devenu assez charismatique avec les années, toujours présent sur la scène québécoise avec plusieurs albums, grand rassembleur d'artistes, qui anime depuis 1991 le Show du Refuge, soirée annuelle de collecte de fonds pour le Refuge[2].

Il a choisi cette cause parce qu'il ressent l'urgence de s'investir là où la misère frappe chez les jeunes, cette misère qui lui rappelle une période plus sombre de sa vie et de celle de son frère décédé tragiquement. «Il y a des zones de moi qui ne déconnecteront jamais des jeunes de la rue, parce que j'ai vécu ça. J'ai beaucoup de difficulté à vivre avec ça encore aujourd'hui. Au Refuge, quand je vois un jeune qui va mieux, je peux me dire que dans son sourire, il y a un millionième de moi. Mais quand on en perd un, l'histoire que tu veux éviter recommence. On doit prendre les causes qui nous touchent, pas les causes faciles.»

---

[2] Le Refuge des Jeunes est un centre d'accueil et de référence à Montréal visant la réinsertion et l'intégration des jeunes hommes en difficulté.

Le sens de son engagement vient d'une connexion intérieure profonde qu'il établit avec les gens de la rue: «On travaille bien, on est honnête, droit, précis, passionné et on a une chance d'apporter un changement.» Il le fait si généreusement! Son album, au titre métaphorique saisissant *Tue-moi*, lancé en 1992, est une de ses grandes réalisations. Seule cette grande «gueule» pouvait «crier» (non seulement chanter) ce texte de Franck Langolf dont je rapporte quelques phrases-chocs, révélatrices de ses convictions les plus profondes en matière de solidarité:

Tue-moi,
si tu me surprends à fermer les fenêtres
parce que le bruit des enfants me monte à la tête.
Tue-moi,
si tu vois un jour que je m'économise,
si j'ai peur d'avoir froid quand je donne ma chemise.
Tu me tueras...

Dans son plus récent album intitulé *Fou*, paru en 2005, et qu'il dédie à son fils Olivier, l'une de ses chansons a pour titre *Sarajevo*. Dan Bigras l'accompagne de ces mots: «Quand je suis revenu, je me suis aperçu que ma chanson, ce n'était pas assez. Je voulais rajouter quelque chose. Je me suis souvenu d'une image là-bas qui m'avait épouvanté: c'était l'image d'une madame qui enterrait son enfant. J'ai eu envie de lui chanter une prière.» Cette prière, c'est l'*Ave Maria*.

J'admire cet homme: son cœur est largement ouvert à la détresse des autres.

Richard Séguin

Mon troisième témoin est très connu et estimé de tous. Il s'agit de Richard Séguin. Depuis 1966, il mène une brillante carrière d'auteur, compositeur et interprète, sur les scènes du Québec, de la francophonie et d'ailleurs. Des dizaines d'albums aux textes toujours engagés, les uns plus que les autres, et plus d'une quarantaine de prix couronnent son parcours de troubadour de la paix et de la fraternité. Déjà, avec sa jumelle, Marie-Claire, il plaidait en faveur de l'écologie et du désarmement de la planète; tous deux dénonçaient l'injustice en invitant le monde à la solidarité. Leur dernier album en duo, *Festin d'amour*, est à l'image de leurs valeurs et de leurs principes de justice, de tolérance et de liberté.

Louise Dugas, sur le site Internet de Richard Séguin, lui consacre un article intitulé: «L'homme qui marche.» Il est celui qui reprend la route, écrit-elle, «toujours la route, vivante et nourrissante, pour la fraternité avec son équipe, pour les rencontres essentielles avec les gens, pour les moments, parfois exaltants, de communion avec les publics de partout». Et surtout, elle fait valoir son travail de créateur avec toujours «l'espoir un peu fou de changer quelque chose dans le monde, grâce à cette part d'humanité qu'il tient entre ses mains». Une de ses amies, Hélène Pedneault, dit de lui qu'il est «l'homme sans cesse touché par la douleur des anonymes, par la solitude des *poqués*. Celui qui a le cœur à fleur de peau»…

Richard Séguin est un habitué des concerts-bénéfice, il ne ménage aucun effort afin de se porter à la défense de toutes les causes qui lui tiennent à cœur. Il a même fait plusieurs spectacles-bénéfice dans l'église de Saint-Venant de Paquette (son petit village estrien) pour en payer les réparations. En 1998, avec les villageois et le sculpteur Roger Nadeau, il réalise les premiers sites du Sentier Poétique qui illustreront les mots des poètes du Québec. Que ce soit Amiska — où il se rallie à la nation crie de la Baie James dénonçant l'humiliante tutelle subie par les Amérindiens — ou encore Carrefour pour elle, (qui accueille femmes et enfants victimes de violence conjugale), les Artistes pour la Paix, Atd quart monde (mouvement international), *L'Autre Journal*, le Refuge de Montréal, Eau-Secours, il n'a jamais cessé de s'impliquer. Il faut surtout l'entendre dans la chanson *M'entends-tu?* pour en être persuadé:

M'entends-tu? Est-ce que j'existe pour toi?
C'est ma vie, ce que je suis.
M'entends-tu? Est-ce que j'existe pour toi?
C'est toute ma vie ce que je suis…
M'entends-tu? Me vois-tu?

Richard Séguin a été proclamé artiste pour la paix en 1990. Pour lui, pas de paix sans une profonde solidarité. «Trouver des mots et des notes, dessiner, graver lentement des histoires. Aller vers les autres. S'indigner, partager, pleurer, rester debout. Avec tant d'humanité. Et au-delà de tout, raison de tout, aimer, aimer toujours. Libre et vulnérable», voilà le résumé de la vie de Richard Séguin tracé par Louise Dugas que je partage à tous points de vue.

J'admire cet homme: son nom est synonyme de puissance de création, de vérité, de solidarité, de profonde humanité.

En bref, les divers engagements de ces trois témoins, tout aussi éloquents les uns que les autres, attestent que la vie de chacun d'eux a su réserver une part essentielle de vérité et de générosité, née de la rencontre chaleureuse et souvent douloureuse avec le monde des démunis et des blessés de l'existence. Leurs paroles et leurs gestes sans cesse renouvelés, mêlés au poids de tant de souffrances constatées, traduisent la solidarité irremplaçable de ces témoins.

Denise Lever

LA COMPLAINTE DES ASSISTÉS SOCIAUX

N'ayant pas trouvé d'emploi stable depuis des années
déçus, inquiets, amers, désillusionnés,
certains assistés sociaux se trouvèrent fort dépourvus
quand de contraignantes lois sont apparues.
Pour satisfaire à l'opération «place à l'emploi»,
et mettre fin aux accusations d'être de mauvaise foi,
de vouloir décrocher du système,
ils décidèrent de se pencher sur leurs problèmes.

Ils savent que les petits boulots engendrent la solitude
et enracinent les gens dans la servitude,
alors que la stabilité favorise la productivité,
l'innovation, l'engagement et la fierté.

Ils décident donc de suivre une nouvelle formation
qui viendra redorer leur mince blason,
acceptant même de s'exiler dans une lointaine région,
disposés à y consacrer plusieurs saisons.
Ce qu'ils veulent éviter,
c'est l'exclusion, l'isolement forcé,
et surtout le sentiment généralisé d'inutilité
qui ne fait qu'accroître l'insécurité.

Le véritable emploi suppose un travail, un statut et des droits.
Y accéder conduira au bonheur par surcroît.
C'est le grand espoir pour toute l'humanité
et souvent un grand chemin de solidarité.

Mais les programmes offerts par le monde des affaires
ou les ministères sont parfois des mesures si temporaires
et si artificielles,
dégageant une mince et précaire enveloppe budgétaire,
qu'elles engendrent le plus souvent des emplois à temps partiel,
qui, finalement, ne sont pas tellement rentables
et risquent plutôt de créer des situations de vie minables.
On sait que la simplicité volontaire a bien meilleur goût,
mais il ne faut pas risquer de manquer de tout.

Oyez! Oyez! Bonnes gens! Venez à notre secours!
Cédez, ne serait-ce qu'un instant, au commandement de l'amour.
Soutenez-nous dans notre dure lutte quotidienne.
Dieu vous le rendra jusqu'au centuple même.

Denise Lever

POUR VOTRE RÉFLEXION

Tout groupe humain prend sa richesse dans la communication, l'entraide et la solidarité visant à un but commun: l'épanouissement de chacun dans le respect des différences. (Françoise Dolto)

* * *

Les grandes douleurs sont muettes, les petites colères sont une source incomparable de solidarité. (Jean Dion)

* * *

Que voulez-vous, je ne m'intéresse pas aux idées, moi, je m'intéresse aux personnes. (Albert Camus)

* * *

Dieu a dit: «Il faut partager. Les riches auront la nourriture, les pauvres de l'appétit!» (Michel Colucci, dit Coluche)

* * *

Nous vivons au milieu d'une mer de pauvreté. Néanmoins, on peut réduire cette mer. Notre travail n'est qu'une goutte dans un seau, mais cette goutte est nécessaire. (Mère Teresa)

* * *

Le don de soi est un achèvement. (Rainer-Maria Rilke)

* * *

Chaque personne a son importance;
chaque personne exerce une influence;
chaque personne peut faire la différence. (Jane Goodall)

* * *

L'indifférence est une paralysie de l'âme. (Anton Tchekhov)

* * *

La solidarité pousse à la générosité; elle donne aussi de l'acuité
pour percevoir les besoins et la misère. (Fernand Dumont)

4
UNE PAROLE POUR L'OUVERTURE

OUVRE TON CŒUR!

Faites que votre tableau
soit toujours une ouverture au monde.
Léonard de Vinci

Une femme de Samarie était venue puiser de l'eau. C'était la sixième heure, c'est-à-dire au moment où le soleil est au zénith et nous darde de ses rayons. L'instant était mal choisi: en plus de s'épuiser à tirer la corde qui était reliée à sa cruche, elle risquait d'en perdre une bonne quantité par évaporation. Et il faisait si chaud! Mais avait-elle vraiment le choix? Ses expériences de vie l'avaient conduite hors du circuit des gens bien-pensants. Les portes des maisons et des cœurs se refermaient sur son passage. En venant au puits à cette heure, elle évitait les commérages, les regards méprisants, les vulgarités. Elle avançait d'un pas lourd, sans joie, accablée par la chaleur mais aussi par sa vie marquée par la marginalité, le rejet.

À la source, elle rencontre quelqu'un qui ne se préoccupe pas des qu'en-dira-t-on. Il ose même, lui qui est juif, lui demander à boire à elle, une femme, et qui plus est, une Samaritaine. On aura tout vu! Depuis des générations, les Juifs n'entretiennent plus de relations avec les Samaritains. Elle n'en croit pas ses yeux. Elle se rapproche un peu, à la fois hésitante et curieuse. Le regard de cet homme est sincère. Quel regard! On dirait qu'il lit en elle. Qu'a-t-elle à perdre?

Elle écoute les paroles de l'étranger. Il veut lui offrir une eau vivante dont la Source ne tarit pas, une eau qui est à la fois don de Dieu et source jaillissante en vie sans fin. Il lui offre, à elle, le meilleur. Dit-il vrai? Devant son doute, il va lui révéler sa vie présente dans la lumière de Dieu. Il va lui révéler clairement la direction de vie qu'elle a prise. Alors l'étranger va toucher directement un point sensible de cette femme, un point où elle a sans doute aussi souffert. La femme est honnête, elle n'essaie pas de cacher quelque chose, de trouver des excuses. Elle reconnaît sa situation comme elle est, avec ses faiblesses et ses limites. Elle comprend que Jésus n'est pas là pour la juger, la condamner, mais pour l'aider et lui donner ce qui lui manque, pour guérir son insatisfaction. Et le dialogue continue.

Il lui offre un chemin neuf, une eau limpide, translucide, une eau qui comble toutes les soifs quelles qu'elles soient. C'est alors qu'elle ouvre son cœur et accepte l'interprétation du prophète qu'elle a reconnu en lui. Elle ne fuira pas. Au contraire! Il lui a donné l'occasion de faire la lumière sur sa vie, et son désir est maintenant d'amener toutes les personnes de son entourage vers cette lumière.

Vous avez sûrement reconnu la Samaritaine de l'évangéliste Jean dans sa rencontre au puits de Jacob avec Jésus de Nazareth. L'histoire de cette femme n'est pas banale. Elle illustre en peu de mots une conversion, un changement de direction, un revirement radical. Cette femme exclue d'un groupe d'exclus va connaître auprès de Jésus le chemin de sa vérité intérieure.

Qu'est-ce qui a provoqué ce renversement?

Sans aucun doute un accueil inconditionnel. Cette femme a été reçue par Jésus dans toute sa souffrance, dans toute sa personne. Mais ce qui est également essentiel, c'est que cet accueil a provoqué chez elle une ouverture du cœur. Elle a lâché prise sur ses certitudes, ses blessures, ses préjugés pour entrer en relation avec Jésus. Elle qui était fière de ses relations passées, symbolisées par le puits de ses ancêtres, est renvoyée à ses relations présentes. Jésus lui parle d'elle-même, en toute vérité. Et elle s'ouvre pour recevoir cette parole et la laisser grandir en elle. À cause de cette ouverture du cœur, tout est désormais possible.

La souffrance et la joie des humains nous interpellent. L'autre a besoin d'une écoute attentive pour révéler en toute confiance sa fragilité. Le cœur de l'être humain est une porte qui s'ouvre à la vibration d'une autre âme qui exprime sa vérité. Il y a dans chaque cœur un univers caché, capable d'embellir la vie, d'améliorer le monde et d'introduire une personne à la réalisation de son être.

L'ouverture du cœur permet à la vie de s'éclater. Si, en musique, l'ouverture est le passage entre le silence du vide et l'œuvre grandiose, comment dans nos vies d'hommes et de femmes l'ouverture du cœur peut-elle mener à quelque chose d'ultime, de grand, de beau?

L'ouverture du cœur prend sa source dans le désir d'être aimé et d'aimer à son tour, dans le désir de vouloir toujours avancer plus loin, de tendre vers plus de vie, plus de joie intérieure, et dans l'harmonie. En pensant à la quête de chaque être humain, Hermann Hesse écrit: «La vie de chaque homme est un chemin vers lui-même, l'essai d'un chemin, l'esquisse d'un sentier. Personne n'est parvenu à être entièrement lui-même; chacun cependant tend à devenir, l'un dans l'obscurité, l'autre dans la lumière, chacun comme il peut.»

Il y a des paroles qui enferment, qui catégorisent, qui jugent. Ce sont les «tu» qui tuent. «Tu n'es rien qu'une femme, une Samaritaine, une impure.» Ces paroles ne laissent passer aucun souffle. Au contraire, elles ne font que redire la réalité douloureuse de l'être. C'est comme refermer sur des êtres vivants la pierre du tombeau. C'est étouffant! Heureusement, il y a aussi des paroles qui apportent un espace de vie. Elles alimentent le désir, elles ouvrent sur un monde de possibles, elles font place à une liberté responsable. Comme Jésus qui, par son accueil et son ouverture du cœur, fait accéder la Samaritaine à l'autonomie, à la liberté. Elle a été abreuvée d'une eau d'où jaillit la vie et, à son tour, elle veut faire partager sa joie à quiconque voudra bien l'écouter.

Un puits, une femme, Jésus. Une quête, un désir, une ouverture. Une parole, un regard, une relation. Une rencontre et le salut devient réalité pour la femme et pour toutes les personnes qui, par elle, recevront un nouveau souffle de vie.

Francine Vincent

TÉMOIN
UN SILENCE QUI OUVRE À L'ESPÉRANCE

Un peintre
c'est quelqu'un qui essuie la vitre
entre le monde et nous
avec de la lumière,
avec un chiffon de lumière imbibé de silence.
Christian Bobin

Elle s'appelait Fernande. Mais de mémoire d'homme, sa famille l'avait toujours appelée Marie. L'origine de l'histoire se perd dans la nuit des temps. Quand le premier de ses petits-enfants est venu au monde, après s'être demandé comment de Nanny, Mamie ou Grand-mère on inviterait le petit à nommer Fernande, on décida tout simplement que ce serait Grand-maman Marie.

La vie de Marie s'est déroulée dans la simplicité et le service, entourée de sa famille qu'elle affectionnait. Une belle-sœur accouchait? Elle se retrouvait à son chevet et s'occupait parfois de la maisonnée tout le temps des *relevailles*. Elle savait montrer une autorité et un sens de l'organisation sans pareil. Pourtant, quand ses enfants la voyaient courir auprès d'une personne qui lui demandait assistance, ils se disaient: «Elle part encore, mais dans quel état va-t-elle nous revenir?» En effet, elle y mettait tant d'énergie, de passion, d'attention, de cœur et de soin, qu'elle revenait au bout de son rouleau, vidée. Elle avait tout donné et enfoui ses inquiétudes au fond d'elle-même.

La belle Marie s'était mariée à Eugène, et étaient nés de leur union quatre beaux enfants, deux filles, deux garçons. Marie partageait son temps entre sa famille et les jeunes de l'école. Elle y animait des rencontres du Service de préparation à la vie. Elle était en avance sur son époque pour toutes questions relatives à l'éveil des jeunes. Éduquer, responsabiliser, éveiller chez eux le sens des valeurs, telles étaient ses passions. Elle respirait quand elle était entourée d'enfants et qu'elle leur transmettait son souffle, en toute humilité.

On pouvait reconnaître chez elle la détermination, l'écoute, l'accueil, la capacité d'émerveillement devant la beauté du monde et toutes choses nouvelles. Elle ne lisait pas beaucoup; pourtant, on reconnaissait chez elle une grande culture. Elle la détenait de ses relations avec des personnes de tous les milieux. C'était une rassembleuse. Elle avait le don d'organiser des activités, des amicales, des repas qui rapprochaient tout le monde. Chacun avait sa place, elle y avait veillé. Le temps passait en de longues conversations, tissées d'anecdotes, de souvenirs, de découvertes faites par les uns, de récits de voyage racontés par les autres. Elle en oubliait de manger tellement elle se préoccupait du bien-être de chacun, tellement elle était passionnée par les paroles échangées.

Marie, le soir venu, pouvait passer de longues heures à converser au téléphone avec une amie d'enfance. Elle conservait ses amies par-delà les années. C'était une femme de relations, cordiale et sincère, à l'esprit ouvert et libre. Elle savait recevoir les confidences et émettre ses opinions sans juger, sans blesser, en laissant l'autre libre de ses convictions. C'est pour cela qu'elle était tant aimée. Elle était la marraine des premiers enfants de ses fils et de ses filles. Il y avait un attachement spécial entre Grand-maman Marie et ses petits-enfants, quelque chose qu'on serait porté à nommer fidélité, affection, indulgence, connivence. Elle prenait facilement leur défense, ne voyant en eux que le meilleur.

Les épreuves ont sillonné sa route à maintes reprises. Mais elle a su relever la tête et leur faire face hardiment. Quand Eugène est décédé à 46 ans, la laissant seule avec quatre enfants dont deux fils pensionnaires, elle a regardé droit devant elle et elle ne s'est pas laissé abattre. Elle a acheté une voiture pour continuer ses visites hebdomadaires à ses fils. Rien ne l'empêcherait de leur apporter une petite gâterie, un dessert préféré, une attention spéciale. Elle a dû également s'ouvrir au monde du travail pour continuer à veiller au bien-être de sa famille. Bien des années plus tard, elle a acheté une maison pour y accueillir son frère et sa mère. C'était un cœur débordant d'amour pour sa famille.

Sa deuxième passion était les arts visuels, particulièrement la peinture. Après ses enfants, c'était toute sa vie. Toute jeune, dès l'âge de douze ans, elle avait peint des animaux, puis des paysages. Elle aimait surtout peindre des animaux. Son père n'avait jamais voulu vendre ses toiles. Elles étaient donc restées dans la famille.

Un soir, il y a de cela huit ans, alors qu'elle était en train de peindre, elle fut terrassée par une attaque cérébro-vasculaire. Sa fille et son gendre l'ont trouvée gisant par terre, inconsciente, dans sa chambre de peinture. Après quelques jours d'examens, le verdict, tel un couperet, était tombé: Marie était paralysée du côté droit. Elle ne pourrait plus peindre de sa main droite et elle ne pourrait plus jamais parler.

Elle a passé trois longs mois à l'hôpital avant d'élire domicile au centre d'accueil pour lequel elle avait un grand attachement pour y avoir fait du bénévolat. Elle y connaissait beaucoup de monde, tant du côté du personnel que de celui des bénéficiaires. Elle se retrouvait donc en terrain connu.

Étant un être de relations et d'ouverture, ce n'est pas le silence imposé par la maladie qui allait la retirer du monde. Elle était merveilleuse pour s'exprimer: un geste, un regard profond, un mime. Elle savait se faire comprendre. Si elle voulait parler d'une personne qui était venue la visiter, elle mimait sa stature, montrait des objets reçus, expliquait longuement… elle était très tenace. Elle était beaucoup appréciée par tous ceux et celles qui la côtoyaient. Malgré son silence, elle communiquait bien avec les gens. Elle tendait la main vers les personnes qui la visitaient, les embrassait doucement pour leur signifier sa tendresse, s'inquiétait d'une amie qu'elle n'avait pas vue depuis quelques jours, peignait une toile en appréciation pour les gestes d'humanité d'une infirmière.

Elle avait en effet recommencé à peindre. Un moment magique! Un préposé, à la fin de sa journée de travail, était arrivé dans sa chambre avec tout le matériel nécessaire à la réalisation d'une peinture. Il lui avait dit: «Vous allez être capable de peindre encore, c'est moi qui vous le dis!» Et elle s'était mise à pleurer. La peinture l'a remise en marche, lui a redonné le goût de vivre, de s'exprimer, d'entrer en contact avec le monde. Elle peignait beaucoup. Comme la porte de sa chambre était toujours ouverte, les gens venaient s'asseoir près d'elle pour la regarder créer. Un jour, l'un d'eux s'est endormi. On était si bien en compagnie de Marie.

Marie-Fernande ne marchait plus, ne parlait plus, mais pourtant bien des regards se tournaient vers elle et lui souriaient. Ce n'était pas la qualité des mots qui importait, mais la communion des âmes. Elle avait un cœur d'accueil et une main ouverte. Pour elle, personne ne semblait étranger. Malgré ses limites, elle regardait autour d'elle et savait détecter les besoins des gens. Comme le fait remarquer Jules Beaulac, «il y a des silences qui parlent plus fort que des paroles, des regards qui en disent long sur les personnes».

Marie a rendu son dernier souffle en avril 2004. C'est avec beaucoup d'émotion que son petit-fils Louis lui a rendu témoignage à la célébration de ses funérailles. J'aimerais saluer à mon tour, avec quelques mots extraits de ce bel hommage, la grande ouverture de Grand-maman Marie à travers son chemin de silence.

Comme les plus grandes symphonies, la vie est ponctuée de silences, comme le silence du temps d'arrêt pendant l'orage ou le silence au milieu d'une conversation passionnée. Ici et là, le silence nous accompagne sous diverses formes. Parfois il nous fait douter de nos certitudes, parfois il nous rend mal à l'aise, alors que souvent il devient source d'énergie. C'est lui qui nous permet de prendre une pause, de méditer, de nous relancer dans l'aventure de la vie.

Le silence du doute fait peur. Il nous pousse parfois à la recherche du bruit, il nous force à prendre conscience de nos limites. Il nous renvoie dans nos derniers retranchements. Le silence du doute nous confronte à nos déceptions, à nos inquiétudes. Le silence ne se laisse pas apprivoiser facilement.

Grand-maman Marie l'a sûrement combattu par moments. Mais par son courage et la quiétude de son départ, elle nous a montré que le silence du doute n'est pas invincible.

Pour Grand-maman Marie, le silence est devenu un compagnon de vie. Certains jours, le silence du doute imprégnait son regard en direction de celui qui l'avait quittée 45 ans plus tôt. Souvent, c'était le silence-source qui animait sa vie et lui donnait l'énergie pour peindre ses paysages intérieurs, pour mettre de la couleur dans ses silences pleins de vie.

J'ai trouvé lourdes ces années de silence. À chacune de mes rencontres avec Grand-maman, je trouvais que le silence prenait trop de place. Je croyais qu'il était un trou noir plein de doute et de souffrance. Mais je n'avais pas compris. Je n'avais pas compris que Grand-maman m'aidait à apprivoiser le silence que je fuyais. Je saisissais mal le vrai sens de son sourire plein d'amour qui transcendait le silence. Je ne voyais pas l'oasis de paix dans son silence.

Son silence m'a mieux appris que l'éternité existe, dans le souvenir que je garde d'elle, même après sa mort. Pour moi, le souvenir de Grand-maman Marie ne se tarira pas. Son amour se prolongera dans ses quatre enfants, ses sept petits-enfants et sa ribambelle d'arrière-petits-enfants.

Je sais surtout que Grand-maman Marie sera toujours présente en nous, dans chacun de nos silences. Elle sera notre guide silencieux, la lumière du phare quand nous douterons, celle qui nous permettra de retrouver le chemin. Dans le silence-source, elle sera l'énergie qui relancera notre quête de bonheur.

Je t'aime, Grand-maman.

Dans son silence, Marie aura appris à vivre l'aujourd'hui, à accepter ses limites, à rester vivante, à trouver l'espérance… et elle aura laissé tout cela en héritage à ceux et celles qui auront croisé sa route.

Francine Vincent

À CŒUR OUVERT

Si tu as un regard franc,
aussi clair qu'une rivière qui dévale la pente,
aussi transparent qu'un voile de rosée,
aussi limpide qu'un cristal de neige,

> alors peut-être que j'oserai croiser ton regard
> et risquerai d'y plonger le mien.
> En consentant que tu viennes t'y noyer à ton tour,
> pour y lire et tes pensées et les miennes sans
> détour.

Si je sais t'écouter sans arrière-pensées
sans préjugés, ni faux-fuyants, ni opinions préconçues,
si je sais t'écouter sans préparer ma réponse,
sans chercher à dire ce que tu n'es pas encore disponible à
entendre,

> alors peut-être que ton cœur osera confier
> ce qui l'habite au plus intime de lui-même,
> cette parole qui se cherche et qui ne s'exprime pas
> encore,
> ces mots qui libéreront et ta tête et ton cœur.

Si tu peux vivre avec mes succès comme avec mes
échecs,
te réjouir de tout ce qui me rend heureuse,
me soutenir quand tout s'écroule dans ma vie,
si je peux être moi-même parce que je me sens bien
reçue de toi,

si je peux laisser tomber les masques qui obstruent notre
vérité,
et naître à quelque chose de neuf qui émerge et de l'un et
de l'autre,

> alors peut-être que nous pourrons nous accepter
> comme deux êtres libres
> et entendre et comprendre ce que l'autre a à dire,
> et grandir l'un contre l'autre, l'un avec l'autre
> et accueillir le trésor qui nous différencie mais qui
> nous rapproche chaque jour.

Francine Vincent

POUR VOTRE RÉFLEXION

Apprendre à ouvrir son cœur exige d'abord que nous ouvrions nos vies. Une famille qui n'a jamais accueilli d'étrangers à sa table a laissé échapper une occasion de croissance. Un Noir qui ne fait confiance à aucun Blanc ou un Blanc qui se méfie de tout Amérindien perdent une occasion d'élever la nature humaine. Un homme qui ne s'est jamais comporté d'égal à égale avec une femme s'est privé de la possibilité d'apprécier l'autre moitié de l'humanité. Le contemplatif petit-bourgeois qui n'a jamais mis les pieds dans un quartier populaire ou défavorisé vit dans une bulle protégée qui le coupe de la réalité de la majorité de ses semblables. L'adulte qui ne s'est jamais intéressé aux propos d'un enfant se prive d'un contact régénérateur avec l'esprit de l'enfance. En d'autres mots: rendons grâces à Dieu que quelqu'un soit venu enrichir notre conscience du monde, nous montrer une façon de penser, d'être et de vivre qui nous fait sortir de notre petit univers. Se fermer à qui que ce soit, c'est se fermer à la possibilité d'être soi-même encore une fois renouvelé[1]. (Joan Chittister)

* * *

L'expérience spirituelle, les religions, ne sont pas faites pour la guerre, la division et l'aliénation, mais pour la paix et la joie, la vie en abondance. Elles ont pour fonction de mettre l'homme debout, en relation, en compassion avec les plus petits et les plus pauvres, de faire la promotion de la liberté et de rendre le monde habitable

---

[1] CHITTISTER, Joan, *Vivre dans la lumière*, Paris, Bellarmin, 2001, p. 100.

pour tous. Il nous faut avoir la passion de l'altérité. Nous sommes faits pour nous rencontrer dans l'amour, nous unir dans la différence. (Jean-Guy Saint-Arnaud)

* * *

Si je ne m'intéresse à quelqu'un que lorsque je sens que je peux lui faire du bien et avoir ainsi le sentiment d'être quelqu'un de bien, à travers lui c'est moi que j'aime. C'est une image de moi-même que je recherche. Mais si la personne commence à me déranger, à me mettre en cause, alors je mets des barrières pour me protéger.

C'est facile d'aimer quelqu'un quand cela m'arrange ou parce que cela me donne le sentiment d'être utile, de réussir. Aimer, c'est bien autre chose. C'est être assez dépouillé de moi-même pour que mon cœur puisse battre au rythme du cœur de l'autre, que sa souffrance devienne ma souffrance. C'est compatir. (JeanVanier)

* * *

Pleurer, c'est ouvrir mon cœur. C'est prendre le temps de m'écouter. C'est m'accorder un moment pour me déposer. C'est ressentir le poids de l'immense lac intérieur qui m'habite. C'est accepter qu'il y a des blessures en dedans pas encore cicatrisées. C'est surtout m'accueillir dans ma fragilité d'aujourd'hui tout comme j'accueillerais, à bras ouverts, un enfant qui pleure… (Renée Pelletier)

5

UNE PAROLE POUR L'ENGAGEMENT

PRÉSENT!

Plus le monde change, plus il faut revenir à l'Évangile.

Jean Boissonnat

Madeleine Delbrêl vivait un engagement de présence et de dialogue dans une banlieue ouvrière de Paris, fortement communiste. Elle ne se séparait jamais du livre des Évangiles. Elle le méditait, le soulignait, le priait dans le silence et aussi dans le brouhaha du métro. Elle écrit: «La Parole, on ne l'emporte pas au bout du monde dans une mallette, on la porte en soi... On ne la met pas dans sa mémoire comme sur une étagère. On la laisse aller jusqu'au fond de soi. Il faut laisser l'Évangile se faire chair en nous[1].»

Cette vigoureuse croyante nous invite à accueillir l'Évangile comme une Présence aussi vivante que celle de notre plus belle amitié. Une Présence qui nous parle au cœur. Une Présence qui nous appelle à la lucidité, au service, à l'engagement.

Interpellations

Les passeurs de l'Évangile doivent se trouver, comme Jésus, là où des gens souffrent, là où la noblesse de l'être humain est en jeu. Ils doivent franchir les barrières de l'indifférence, de l'opposition, de la peur, et poser des gestes concrets qui seront souvent discrets et individuels, parfois éclatants et communautaires.

---

[1] Revue *Prier,* novembre 1999, p. 23.

Jean Gaillot, qui sait le prix du combat pour la dignité des démunis, particulièrement des sans-logis, affirme: «Il ne suffit pas que l'Église prêche la solidarité, il faut qu'elle soit solidaire en actes. Il ne suffit pas que l'Église dise que les familles ont droit à un logement. Il faut qu'elle mette à la disposition des familles des immeubles qu'elle possède et qui ne sont pas utilisés[2].»

Nous serons fidèles à l'Évangile si nous embellissons d'humanité notre milieu de vie, de travail, de bénévolat, si nous embellissons d'humanité la société et le monde. La stimulation de la Parole nous rendra capables de compassion, d'écoute, de générosité. Elle nous rendra capables d'approcher les petits, les pauvres, de contester toute injustice, de briser les inégalités, de diffuser la paix, de faire gicler la joie de vivre.

Jésus a aimé les hommes et les femmes qu'il a guéris et réconfortés. Il leur a permis de reprendre contact avec la vie, de réaliser leurs rêves et leurs projets, d'habiter enfin la maison du bonheur. Il leur a donné une espérance. C'est le plus beau cadeau qu'il pouvait leur offrir. Quand nous ouvrons un avenir à un décrocheur, à un toxicomane, à un chômeur, nous prolongeons l'Évangile. Quand l'homme devient, Dieu apparaît.

Proclamer l'Évangile, c'est affirmer que quelque chose de neuf peut survenir. Et cette nouveauté devrait rejoindre tout particulièrement les personnes qui ne trouvent plus de raisons d'espérer tellement elles sont certaines que rien ne peut changer. Nous devons réapprendre à regarder en nous et autour de nous, pour être à même de percevoir ce qui peut surgir comme pousses de printemps. Il peut toutefois être difficile de percevoir du neuf si nous ne sommes pas prêts à en créer nous-mêmes.

Chacun de nous est appelé à écrire, à même les événements et les rencontres de chaque jour, sa page d'Évangile. Pour mieux inspirer nos réactions et nos gestes, il est bon de nous demander ce que ferait Jésus dans telle circonstance, et de vérifier notre réponse en la partageant avec une équipe, une communauté de foi.

---

[2] *RND,* septembre 1995, p. 25.

Exigences

Les chemins de l'Évangile sont rocailleux. Si le Christ libère l'homme de la loi, ce n'est pas pour qu'il devienne irresponsable. Choisir l'amour comme règle de vie et de conduite morale, c'est s'imposer un idéal très exigeant. Il est facile de vivre dans le cadre de lois ou de prescriptions qui prévoient et déterminent tout. Il est difficile d'inventer dans chaque situation un geste inspiré par l'amour. L'amour appelle la créativité du cœur.

Jésus aborde les personnes naufragées avec compassion, tendresse et liberté. Il ne tente pas de sauver la loi du sabbat au détriment de l'homme à guérir. Il ne s'accroche pas à des traditions ou à des principes qui peuvent enchaîner ou dessécher la vie. Il affirme que l'amour a priorité sur la loi froide et répétitive. Il nous indique qu'il y a des urgences et qu'il faut alors dépasser la peur, prendre un risque, s'impliquer tout de suite. Il nous enseigne que les situations de détresse appellent une morale de détresse.

La parole de Jésus nous invite à ouvrir des lieux de débat où les personnes, vivant des expériences douloureuses et délicates (sida, violence conjugale, avortement, homosexualité), pourraient échanger, discuter, se dire comment la vie remet en question certaines lois, se rappeler que la liberté et l'amour sont des valeurs plus évangéliques que la nature qui sert souvent de fondement à la morale religieuse.

L'amour demandé par Jésus est parfois extrême, radical: «Si quelqu'un veut prendre ta tunique, donne-lui encore ton manteau», «Aimez vos ennemis», «Pardonnez 77 fois 7 fois...» La générosité sans frontières, l'amour de ceux qui nous blessent, le pardon toujours disponible sont des attitudes qui nous paraissent idéalistes, inaccessibles. Elles sont pourtant des propositions claires de l'Évangile. Et elles nous fascinent quand nous les voyons vécues par un Vincent de Paul, un François d'Assise ou une Esther Blondin.

Engagement dans la communauté

Jésus nous précède avec audace sur les chemins de l'engagement social. Il conteste les conventions formalistes et stériles, les inégalités mortifères, les différences qui humilient et marginalisent, la discrimination installée. En son temps, ceux qui exerçaient des professions méprisées étaient évités et maudits: bergers, médecins, publicains. Jésus, lui, communique avec tous. Il cherche le contact avec les exclus (prostituées, païens, lépreux).

Il accepte que des femmes l'accompagnent dans sa mission. Il se retrouve volontiers chez ses amies Marthe et Marie, pour une conversation et un repas. L'une des plus belles pages de l'Évangile est celle de la femme courbée à qui Jésus donne de se redresser. Elle avancera désormais dans toute sa grandeur, en confiance, le regard fasciné par un nouvel horizon de possibles. Belle icône de la libération de la femme.

Jésus sécularise le principe d'autorité. À ses yeux, les chefs constitués, civils ou religieux, ne sont pas purement et simplement des représentants de Dieu. Aux pharisiens qui veulent le coincer à propos des impôts, il répond vivement: «Rendez à César ce qui est à César et à Dieu ce qui est à Dieu.» S'il avait été écouté, nous aurions été exemptés de cette procession de rois, d'empereurs et de papes qui se sont crus dotés d'une autorité absolue et qui ont pris des décisions meurtrières. Et nous ne serions pas aux prises actuellement avec une redoutable vague de fondamentalisme et de fanatisme religieux.

Dans un monde de plus en plus complexe, les solutions qui vont vraiment faire avancer la justice et la fraternité sont collectives, politiques. Notre bonne volonté et notre générosité individuelles ne suffiront pas. Nous devons nous intéresser à la vie publique, communautaire, si nous voulons vraiment améliorer le sort des hommes et des femmes accablés par les inégalités, la pauvreté ou la violence. Nous devrons discerner et déraciner ensemble les causes de la misère humaine.

Les croyants de maintenant sont en recherche de sens. C'est devenu un malaise collectif. L'Évangile nous appelle à les écouter plutôt qu'à leur imposer des réponses préemballées; à respecter leurs interrogations, leurs intérêts, leur rythme de cheminement. Il est important de les reconnaître comme les premiers responsables de leur vie et de leur itinéraire. Nous leur rendrons service en suscitant des petits groupes de partage centrés sur le vécu, en leur offrant des lieux de rencontre, même occasionnels.

Des jeunes et des adultes ont soif de transcendance, d'absolu. Nous sommes convoqués à devenir d'humbles témoins de la quête de Dieu, des éveilleurs plutôt que des maîtres, de simples pèlerins de l'Évangile. Sensibilisons les personnes à la valeur de leur propre expérience du sacré. Partons de leurs récits de vie, des événements de l'actualité, et exposons-les à la clarté de la Parole. Nous retrouverons ainsi les traces et les désirs de Dieu dans l'itinérance des individus et dans l'histoire collective.

La pauvreté du cœur

Nous sommes appelés par l'Évangile à faire le deuil du «glorieux» passé catholique, à vivre la pauvreté spirituelle, à redécouvrir l'émerveillement devant ce qui est petit, devant ce qui émerge à peine. Nous sommes appelés à choisir, au cœur de nos jours, le simple geste, l'attitude ou l'action qui restaurera la dignité humaine d'une personne, fera justice à un travailleur, donnera de la joie, libérera une vie.

L'Évangile nous invite à l'engagement, surtout quotidien. À nous de répondre: Présents!

Yvon Poitras

TÉMOIN

INGRID BÉTANCOURT

Je regarde la photo d'Ingrid Bétancourt, 42 ans, sur la page couverture d'un magazine. Cheveux dans le vent, yeux bruns tournés autant vers l'intérieur que vers l'extérieur, visage paisible allumé par une passion, sourire réticent qui marque l'inachèvement d'un grand rêve. Qui est cette jeune femme qui ose s'attaquer à la corruption, à la violence, aux cartels de la drogue dans son pays, la Colombie? Quelles sont ses motivations profondes?

Qui est cette femme?

Ingrid Bétancourt naît à Bogota en 1961. Son père est ambassadeur à l'UNESCO. Sa mère est engagée politiquement. Elle voit défiler dans la maison familiale des présidents, des ministres, des artistes, des poètes et des écrivains tels Pablo Neruda et Gabriel Garcia Márquez. Cachée derrière les tentures du salon, elle les écoute discuter jusque tard dans la nuit. Lentement, l'amour de son pays s'embrase dans son âme.

En 1981, elle étudie les sciences politiques à Paris. Entre 1985 et 1988, elle donne naissance à deux enfants. En 1990, elle quitte sa vie paisible de mère de famille en France et rentre en Colombie, déterminée à donner à sa chère patrie un avenir plus humain. Elle engage son combat de libération au moment où la population est brisée par des années de guerre, démoralisée par les guérilleros marxistes, les paramilitaires, les puissants cartels de la drogue, et déçue par les politiciens impuissants, souvent corrompus. Elle condamne ouvertement la violence et la corruption, d'où qu'elles viennent. Personne n'a le courage d'offrir un nouveau rêve à son peuple écrasé. Ingrid se lève et ose le faire.

En 1994, elle est élue députée. En 1996, elle publie son enquête — *Si on savait* — qui dénonce le financement de la campagne électorale du président Samper par le puissant Cartel de Cali. Elle reçoit des menaces de mort. En 1998, elle fonde son propre parti politique — *Oxygène*. Elle est élue au Sénat avec la plus forte majorité de tout le pays. En 2001, elle publie en France *La Rage au cœur*, qui raconte son itinéraire périlleux. En 2002, elle se présente comme candidate aux élections présidentielles qui doivent se tenir en mai. En février, elle est enlevée, avec sa directrice de campagne, par les FARC (Forces armées révolutionnaires de Colombie), qui la gardent en otage.

En novembre 2003, ce mouvement offre de l'échanger contre la libération de certains de ses membres emprisonnés par l'État. Elle refuse publiquement, par la diffusion d'un enregistrement, affirmant qu'on ne peut échanger des civils contre des militaires. Elle met plutôt le président au défi de la libérer, même si elle sait qu'elle y risquerait sa vie.

Quelle flamme l'anime?

«La vérité vous rendra libres», a proclamé Jésus de Nazareth. Cet idéal s'actualise dans la lutte d'Ingrid Bétancourt contre le mensonge social et politique. Elle sait que derrière le mensonge se camouflent l'exploitation, l'injustice, le crime, l'exclusion. Elle qui aurait pu rester à l'abri de la misère, de l'arbitraire des lois et de la marginalisation, a voulu jeter un regard de lucidité sur toutes les peines de son peuple meurtri. Souvent traînée en cour, elle amène un seul témoin: la vérité. J'ai devant moi une photo saisissante: serrant ses dossiers contre elle, Ingrid regarde le juge droit dans les yeux, avec l'assurance et le calme de la vérité.

Cette femme nourrit au foyer de son âme une foi et une espérance fulgurantes. Interviewée sur les motivations de sa lutte, elle répond: «J'ai choisi un chemin difficile, celui de croire qu'il est possible de changer ce qui n'est pas tolérable. La misère n'est pas tolérable. L'abus de pouvoir n'est pas tolérable. Le mensonge n'est pas tolérable. Je crois que nous pouvons faire mieux. C'est finalement une question de foi[1].» Et elle compte sur l'implication solidaire de chacun de ses concitoyens pour faire advenir le monde qu'elle entrevoit, un monde bâti sur l'honnêteté, la justice, l'égalité des chances, le respect du plus humble.

Elle respecte les personnes. Elle refuse de parler de bons et de méchants. Elle pense que beaucoup de trafiquants de drogue n'ont pas vraiment choisi ce qu'ils font. Ils ont voulu échapper à la misère dans une société où seul l'enrichissement illégal permet la mobilité sociale. Les finances du pays sont depuis toujours contrôlées par les grandes familles qui pratiquent l'exclusion. Elle veut briser les barreaux de la prison qui étouffe son peuple. Elle se bat avec vaillance pour les plus démunis. Elle parle pour ceux dont les cris ne sont pas entendus. Elle parcourt les campagnes les plus reculées pour soutenir les aspirations des paysans à la justice et à la paix. Elle donne l'exemple du courage à ceux qui ont tout perdu, même l'espoir.

L'appui généreux et inconditionnel de son mari et de ses parents renouvelle régulièrement ses énergies morales. L'affection de ses enfants la remet instantanément sur les chemins de la vie et de l'amour. Elle voit dans ces liens stimulants un clin d'œil de Dieu sur ses routes imprévisibles et dangereuses.

L'Évangile est pour elle un guide lumineux, nécessaire. Il répond à ses interrogations: «Comment faire comprendre l'injustice? Comment agir face à la haine, face à la trahison, face à la peur? Comment combattre le mensonge? Comment agir dans le sacrifice? Comment faire les bons choix lorsqu'on se sent incapable? Comment continuer envers et contre tout[2]?»

Elle trouve dans la lignée des croyants des témoins qui l'éclairent et l'encouragent. Spécialement sainte Thérèse de l'Enfant-Jésus et l'apôtre saint Pierre. À la source de leurs parcours très

---

[1] Revue *Prier*, octobre 2001, p. 6.

[2] *Ibid.*, p.7.

différents, elle discerne une même inspiration spirituelle: l'amour sans réserve, l'abandon de soi à Dieu, la certitude absolue de son appui constant et bienveillant.

Ingrid, femme d'action, a besoin de solitude et de méditation. Ses temps de retrait dans le silence lui donnent de ressaisir sa vie, de recueillir la lumière montée de ses expériences, de revigorer son âme avant les confrontations douloureuses. Quand elle sent que la peur rôde autour de son âme, elle prie les psaumes, elle accueille la Présence solidaire. Jusqu'à maintenant elle a toujours réussi à dominer la peur. Elle a une grande foi dans la prière: «Je crois à la force de la prière. Une force capable de changer notre monde intérieur, capable de changer le Monde. Je crois que nous sommes des êtres» spirituels et que la prière est notre instrument d'action[3].»

Sa maturation dans la foi et l'espérance l'amène à une liberté rare: le détachement à l'égard de la vie, de sa vie. Non par un désir ambigu de la mort, mais par un amour sublime de la vie.

Le courage et la volonté d'engagement d'Ingrid Bétancourt emportent l'admiration. Ils transcendent tellement nos communes lâchetés devant les situations désespérées. Cette femme est une icône de la pureté dans le combat pour la démocratie et la dignité humaine. Elle est une magnifique messagère de l'Évangile.

Yvon Poitras

---

[3] *Ibid.*, p. 8.

LA BEAUTÉ DU PRESQUE RIEN

L'Évangile nous invite à choisir volontiers le presque rien, l'humble geste qui diffuse l'amour, la joie, la justice, qui libère la vie.

S'approcher d'une fillette qui pleure sur la route de l'école, l'écouter, la consoler et faire des pas de bienveillance avec elle.

Garder l'enfant d'une voisine démunie pendant qu'elle se rend à une consultation médicale ou psychologique.

Aller visiter une vieille tante prisonnière de la maladie et de la solitude.

Accompagner un malade psychiatrique dans ses démarches auprès de l'aide sociale.

Donner un salaire décent à une femme de ménage occasionnelle.

Dans un conflit social, prendre la part du plus petit, du plus faible.

Écrire une lettre à un journal pour dénoncer le manque de respect envers les personnes âgées dans tel centre de soins prolongés.

Offrir un sourire de réconciliation à un collègue qui nous a blessé.

Participer à une manifestation contre la violence faite aux femmes ou aux enfants.

Aider un paralytique cérébral qui ne parle pas à écrire sur ordinateur des lettres à ses parents, ses amis, son entraîneur sportif.

Signer une pétition pour la libération d'une Nigériane condamnée à être lapidée parce qu'elle est devenue enceinte avant le mariage.

Vivre quelques heures de présence douce et patiente avec une personne qui souffre de la maladie d'Alzheimer.

Prêter un livre qui éveille à la responsabilité sociale, à la dimension spirituelle de la vie.

Encourager un adolescent à développer son talent pour la musique, la peinture ou la science.

Aider une personne handicapée à faire ses courses pour lui permettre de vivre plus autonome en logement.

Écouter avec douceur et tendresse la douleur d'une jeune femme qui a perdu brusquement son fiancé.

Aller toucher l'orgue bénévolement aux célébrations du dimanche dans une maison pour aveugles.

Accompagner sa mère dans la recherche d'une résidence où elle pourra être bien entourée et heureuse.

Organiser une veillée de Noël pour les résidants d'un foyer pour malades psychiatriques.

Acheter le journal *L'Itinéraire* pour encourager des hommes et des femmes qui ont eu le courage de sortir de la rue.

Rigoler avec une personne âgée pour qu'elle voie dans nos yeux la jeunesse de son cœur.

Se joindre à une équipe de croyants qui interrogent leur vécu à la clarté de l'Évangile.

Celui qui vous donnera un simple verre d'eau froide parce que vous appartenez au Christ, je vous garantis qu'il ne perdra point sa récompense. (Mc 9, 41)

Yvon Poitras

POUR VOTRE RÉFLEXION

Quand nous tenons notre Évangile dans nos mains, nous devrions penser qu'en lui habite le Verbe qui veut se faire chair en nous, s'emparer de nous, pour que son cœur greffé sur le nôtre, son esprit branché sur notre esprit, nous recommencions sa vie dans un autre lieu, un autre temps, une autre société humaine. (Madeleine Delbrêl)

* * *

Dans l'Évangile, Jésus nous invite à respecter l'autre quel qu'il soit: le faible, le pauvre, l'étranger, la personne atteinte d'un handicap. Le respecter, cela veut dire bâtir la société avec lui. (Jean Boissonnat)

* * *

Si je peux transmettre une certitude à ceux qui vont mener la lutte pour mettre plus d'humanité en tout, c'est — décidément, je ne peux pas écrire autre chose: La vie, c'est apprendre à aimer. (Abbé Pierre)

* * *

Devant les massacres, les catastrophes, les tremblements de terre, les tortures, Jésus refuserait la fatalité, les explications simplistes, les jugements hâtifs. Il nous proposerait, comme Marguerite Yourcenar, de «venir en aide à la faiblesse de Dieu». (Gabriel Ringlet)

* * *

L'engagement comporte une foi et un don, mais une foi perpétuellement vigilante, et un don perpétuellement révisé. Il a le cœur chaud mais la tête froide. Ou bien il ne faut plus parler d'engagement, mais de délire. (Emmanuel Mounier)

* * *

Le bonheur des béatitudes n'est pas un bonheur facile, je sais. Mais ce bonheur-là, essayez donc de le planter près de chez vous. Vous avez bien un peu d'eau dans les environs. Un coin de terre. Une petite cour intérieure. (Gabriel Ringlet)

* * *

Au bout de trente ans d'expérience quotidienne, Jésus ne peut plus contenir en lui l'évidente lumière qui nous fait défaut et il se met à projeter sur les corps tourmentés et sur les âmes rhumatisantes son entrain fraternel. (Jean Grosjean)

* * *

L'Évangile n'est pas le lieu de la spéculation, c'est une tâche à accomplir, urgente, et c'est la charité. La charité, c'est la force et le courage, la passion et la colère, la douceur et la tendresse de Jésus, Dieu fait homme. (Jacques Leclerc)

6
UNE PAROLE POUR LA GRATUITÉ

Devenir libre, c'est prendre son envol vers le plus beau de soi,
l'accueillir, le faire grandir, puis le partager.

LES FINES FLEURS DE LA GRATUITÉ

Celui qui fait du bien à un autre,
fait du bien à lui-même, non seulement par voie
de conséquence, mais dans l'action même.
Sénèque

Cette citation du philosophe romain situe le vaste champ du bénévolat qui est le terreau privilégié où s'enracine et se déploie cette grande vertu qu'est la gratuité. Un ou une bénévole, c'est une personne altruiste qui offre gratuitement son temps, ses énergies et ses talents au service des autres et qui trouve dans la gratuité un certain accomplissement d'elle-même. Vertu rare de nos jours? Voyons de plus près.

La définition que donne le *Petit Robert* de la gratuité est d'abord de nature économique et en rapport avec l'argent: c'est quelque chose que l'on donne sans faire payer, ou dont on jouit sans avoir rien à payer: un billet ou un spectacle, l'enseignement ou les soins médicaux. L'autre acception, plutôt négative, évoque l'absence de fondement, de preuve, de raison valable, dans une hypothèse, une imputation, une accusation; par exemple: votre jugement est tout à fait gratuit, irrationnel. Cette acception n'est pas l'objet de mon propos.

La portée de ce mot va bien au-delà de ces définitions. Je la situe dans le vaste champ des relations humaines. Et j'emprunte à Paul Valéry, en la transposant, cette description de l'art de soigner qui me semble si bien convenir à une description de la gratuité: «Une attention exquise à la vie que l'on veille et surveille, une sorte d'élégance dans les actes, une présence, une prévision et une sorte de perception très éveillée qui observe les moindres signes, cela peut être fait avec une rigueur dont la douceur est l'enveloppe essentielle[1].» On connaît tous de ces personnes qui s'engagent dans différentes associations ou organisations et qui se donnent sans compter. Tout fonctionne à merveille parce qu'elles sont là.

L'apôtre Paul n'écrivait-il pas aux Romains: «que celui qui donne le fasse avec libéralité» (Rm 12, 9)? Les premières communautés chrétiennes ont vécu dans cet espace de liberté et de gratuité puisqu'elles mettaient tout en commun (Ac 2, 44). De nos jours, le combat difficile pour éliminer les inégalités sociales et l'immense pauvreté de tant de régions sur la planète requiert des femmes et des hommes généreux qui font éclater les frontières, en risquant souvent leur propre vie. Ce sont les missionnaires de la paix, de la justice et de la fraternité.

Pour le commun des mortels, pour vous comme pour moi, la vie quotidienne nous offre tant de pistes où le don — l'espace de la gratuité par excellence — peut rayonner en toute amplitude. Le moindre geste, un regard admiratif, une attention particulière, tout cela fait plaisir et reflète l'exercice harmonieux de nos activités vitales. La gratuité dilate l'âme, lui donne des énergies nouvelles et peut soulever le monde. J'irais même jusqu'à dire que la gratuité se trouve à l'origine du monde.

La création du monde: la grande geste gratuite de Dieu

La création de l'univers» est le plus grand cadeau de Dieu à l'homme. Dès les origines, il fait éclater sa magnificence dans ce don plénier de la Lumière créant ainsi le temps, le jour et la nuit et les milliers de galaxies. Jour après jour, il répand à profusion la Vie sous toutes ses formes, depuis l'espèce la plus infime jusqu'à la plus noble conforme à son image, il voit à chaque étape que tout cela est bon, même très bon. Au sixième jour, il place l'homme

---

[1] Description citée par Marie GRATTON, *Côté cour, côté jardin. Voyage intérieur en 365 jours*, Médiaspaul, 2001, p. 118.

et la femme dans cet immense jardin pour y vivre l'Amour et faire fleurir la Beauté. Voilà ce que nous lisons au premier livre de la Genèse.

Désormais, pour toutes les générations à venir, dans le temps et dans l'espace, il faudra apprivoiser la nature des êtres et des choses, créer les conditions favorables à leur émergence, à leur développement et à leur accomplissement. Dans le jardin de la vie, toute personne de bonne volonté apprendra comment faire germer les fleurs et les fruits de la foi, de l'espérance et de l'amour. Et comme l'écrit si bien Henri-Frédéric Amiel: «L'humanité ne commence dans l'homme qu'avec le désintéressement», c'est-à-dire le détachement de tout intérêt personnel, de toute convoitise. Peut alors s'ouvrir, largement, l'espace de la gratuité.

Lorsque ce mot atteint véritablement sa cible, l'être humain dans ses ressorts les plus nobles et les plus intimes, il rayonne en plusieurs vertus. Ce sont là pour moi les fines fleurs de la gratuité. Ces vertus sont tellement liées les unes aux autres que celui ou celle qui en pratique une en fait souvent apparaître plusieurs.

Les fines fleurs de la gratuité

Chez celui qui donne, je distinguerai l'attention à l'autre et la générosité, qui s'observent spécialement dans le cadre du bénévolat, à petite ou à grande échelle, auprès des siens ou dans des sphères plus larges de la société et du monde.

L'attention à l'autre, c'est une attitude, un comportement qui nous amène à avoir une conscience vive des besoins de l'autre, à l'observer, à s'en occuper; elle est faite d'amabilité, d'empressement, de zèle. Le proverbe «être tout yeux, tout oreilles ou tout ouïe» exprime une qualité optimale de l'attention. Tout l'être est tendu vers l'autre. C'est comme une seconde nature. Chez certaines personnes, le désir de rendre service ou de partager est toujours là. Elles savent deviner les besoins. Et lorsque cette attention soutenue se porte avec affection sur les soucis des autres, petits ou grands, elle se nomme sollicitude. Vertu qui sait remuer le cœur. Les requêtes, quelles qu'elles soient, sont assurées d'être exaucées.

La générosité, c'est la disposition à donner plus qu'on est tenu de le faire, c'est agir avec largesse, libéralité, magnanimité, voire même avec prodigalité. C'est la qualité qui élève l'homme au-dessus de lui-même et le dispose à sacrifier son intérêt personnel ou son avantage à celui des autres, à se dévouer pour une cause ou des personnes. C'est le supplément de souffle qui aide à se dépasser, à se surpasser. La générosité peut s'exercer de plusieurs manières, par le don de son temps, de ses talents, de ses connaissances ou de son argent. Les personnes généreuses ne s'ennuient jamais. On doit souvent leur rappeler de garder un certain équilibre entre se donner et s'appartenir.

Chez celui qui reçoit, la gratuité s'inscrit dans une mouvance, et cet élan du cœur, ce mouvement, je le caractérise par ces deux mots: reconnaissance et gratitude. Ces vertus traduisent la qualité d'une réponse libre au don gratuit et constituent une marque d'estime, un témoignage d'affection.

La *reconnaissance* est le sentiment qui pousse à éprouver vivement un bienfait reçu, à s'en souvenir et à se sentir redevable envers le bienfaiteur. Mais le degré de reconnaissance n'a pas à être directement proportionnel au don, au bienfait donné. La satisfaction témoignée en est le gage. La *gratitude* fait davantage appel au sentiment d'affection que l'on ressent pour quelqu'un dont on est devenu l'obligé. La gratitude déborde de mercis parce qu'elle dévoile l'abondance de la vie octroyée par l'autre.

Au jardin de la gratuité fleurissent *l'accueil* et le *partage*. *L'accueil*, c'est la manière de recevoir quelqu'un, de se comporter avec lui quand on le reçoit, sans calcul, sans attente particulière. C'est lui dire avant toute chose qu'on l'aime et qu'on est heureux de le voir. Le *partage*, c'est la part que chacun apporte dans l'échange de connaissances, de biens ou de services, c'est un des beaux fleurons de la fraternité quand il s'étend aux nombreux besoins de l'existence.

Au fond, les actions fondamentales — donner, recevoir, partager — s'inscrivent dans la nature de l'homme et sont de tous les temps. Parce que la vie, forcément, nous relie les uns aux autres en solidarité de destins. Au pays de la gratuité, il n'y a pas de jeux de concurrence, de calcul ou de mesquinerie. Tout est grâce, liberté et amour.

Pour une souveraine gratuité

La Règle d'or nous est donnée par Jésus dans l'Évangile, dans son discours inaugural des Béatitudes:

> Quiconque demande, donne-lui; celui qui te dérobe ton bien, ne le lui réclame pas. Ce que vous voulez que les hommes vous fassent, faites-le pour eux de la même façon. Pourquoi être récompensés d'aimer ceux qui vous aiment? Et si vous êtes bienveillants pour vos bienfaiteurs, pourquoi vous en être reconnaissants? Au contraire, aimez vos ennemis, soyez bienveillants, prêtez sans espoir de retour. Alors vous serez largement récompensés. Vous serez les Fils du Très-haut. Lui est dévoué envers les ingrats et les malfaisants. Devenez généreux comme votre Père est généreux[2].» (Lc 6, 30-37)

Et justement, au nom de cette foi nourrie en nous par la Parole de Dieu, au nom de cette espérance qui nous soulève et nous fait désirer un monde meilleur, au nom de cet amour qui nous entraîne vers les autres, comme les besoins des personnes se multiplient, souvent dans l'indifférence de la société, nous sommes invités à investir gratuitement notre temps, nos talents, nos énergies dans de multiples causes qui sollicitent notre aide.

— C'est rendre visite à son voisin de palier qui est handicapé physiquement malgré l'arthrite sévère qui nous afflige.

— C'est faire les courses chaque semaine pour une parente qui n'a plus la force de quitter son appartement.

— C'est s'offrir gentiment pour la vente de jonquilles au centre commercial de sa ville afin de recueillir des fonds pour lutter contre le cancer.

— C'est accepter de rédiger chaque semaine le bulletin paroissial parce qu'on a la plume facile.

---

[2] *La Bible. Nouvelle traduction*, Paris/Montréal, Bayard/Médiaspaul, 2001.

— C'est s'inscrire comme bénévole pour accueillir les visiteurs ou effectuer des visites guidées lors d'une journée porte ouverte à l'école de son quartier.

— C'est offrir sa collaboration au service d'entraide et d'accueil des immigrants de sa ville.

— C'est se rendre disponible pour écouter, accompagner, animer une rencontre.

Bref, c'est poser toute action qui viendra allumer une étincelle de bonheur dans les yeux d'un enfant, dans le cœur d'une bénéficiaire, d'une personne âgée ou malade, etc. Quelques heures parfois pour se sentir utile et recevoir encore plus que l'on donne.

La gratuité ou la magie du cœur va jusque-là, magnanime, souveraine et libre.

Denise Lever

TÉMOINS

FABIEN ET MONIQUE

Les grands-parents sont des témoins vivants de la gratuité. Ils le deviennent davantage surtout lorsqu'ils prennent leur retraite. Et ce n'est pas une affirmation gratuite. Finie la séquence auto, métro, boulot, que vienne le repos!

Ils ont à peine le temps de reprendre leur souffle, de s'organiser un autre quotidien, d'explorer ou d'exploiter leur nouvelle liberté, que leurs «grands enfants» les réclament pour venir les aider à peindre et à décorer le nouvel appartement ou la maison qu'ils ont pu enfin se procurer. Ou encore, pour s'occuper de leurs jeunes enfants, sachant bien que la présence d'un Papi ou d'une Mamie constitue un havre de sécurité dans le territoire le plus affectueux qui soit: la famille. La distance à parcourir pour se rendre auprès d'eux n'est pas un obstacle majeur à franchir.

Qu'arriverait-il aux couples débordés s'ils ne pouvaient compter, de temps à autre, sur l'un ou l'autre des parents, pour toutes sortes de raisons? Heureux sont-ils lorsque les grands-parents s'ouvrent volontiers à l'adoration ou aux fantaisies — quand ça ne tourne pas aux douces tyrannies des petits-enfants! Ils peuvent respirer un peu plus ou un peu mieux dans le déroulement de leur quotidien. Je le sais parce que j'ai déjà pu mesurer l'impatience des petits, lorsque papa ou maman est au téléphone avec grand-papa ou grand-maman. Ils ont si hâte de les voir arriver enfin chez eux.

J'en connais plusieurs dans ma famille, dans mon entourage et chez mes amis, de ces grands-parents qui sont d'une générosité sans bornes, toujours prêts, selon la devise des scouts, et je les admire de se donner si gratuitement. J'ai effectué une petite enquête par Internet auprès de certains d'entre eux, et voici ce qu'un de mes amis m'a transmis en toute simplicité dans un récit sur le vif de leur «grand-parentalité». Je crois que leur expérience si savoureuse rejoint celle de plusieurs autres grands-parents. Je nous offre ce récit parce qu'il est plein de tendresse et d'attention.

Grand-papa Fabien

Derrière chez moi, c'est un terrain en jachère. Quand Alexis et Angélique viennent nous rendre visite, il faut aller dans le champ. L'hiver, pour chercher des traces de lièvres et, qui sait, de renards. Le printemps, pour voir la première marmotte. L'été, pour cueillir des fraises, s'amuser à fendre des cailloux, poursuivre les papillons. Mais grand-papa ne doit pas faire de farce du genre: «C'est une vraie jungle, ici, il y a peut-être des lions.» Car si grand-papa dit qu'il y a des lions, c'est qu'il y en a sûrement!

Un jour, j'emmène Alexis voir une chute sur un ruisseau. Une chute assez importante: 25 mètres environ.

— Grand-papa, on peut monter?

— Hum! Par où on passerait, d'après toi?

— Facile! On va sur cette roche, on passe dans l'eau, puis on grimpe le rocher en se tenant après les racines.

Grimpent alors un petit audacieux inconscient, un grand-papa un peu inquiet, mais qui se rappelle son enfance. Finalement, aux deux tiers de la chute, on est bloqués. Des voix nous interpellent. Alexis est heureux qu'il y ait d'autres témoins de son exploit: son arrière-grand-mère et sa grand-tante qui les admirent d'un petit belvédère. Puis on redescend: grand-papa multiplie les conseils, tout le monde sait que c'est en descendant que les accidents arrivent! Mais Alexis semble avoir trouvé un nouveau chemin.

Et on remonte. Et on redescend. Et arrive ce qui devait arriver, Alexis tombe le derrière à l'eau. Il est frustré parce que son grand-père, le pas fin, rit de lui. Son grand-père lui explique qu'il ne se moque pas de lui, il rit parce que c'est normal de tomber à l'eau quand on joue dans un ruisseau.

Alexis aime tester la force de son grand-père. Il adore se chamailler. Un jour, il dit: «Sais-tu que tu es en train de me montrer à me défendre?» L'ennui, c'est qu'il se sert de ses trucs pour attaquer! Angélique, elle, c'est la soigneuse. Quand grand-papa s'étend pour sa sieste, Angélique va le couvrir d'une serviette. Elle est déjà si attentionnée. Future infirmière, peut-être!

Un jour, on arrête à Saint-Léonard d'Acton, à un restaurant le long de l'autoroute. Le terrain est entouré d'animaux préhistoriques géants. Alexis fait le tour en courant, nommant les dinosaures: il les connaît presque tous. Il se permet même de critiquer la réalisation artistique. Un tel devrait avoir quatre doigts plutôt que trois, un autre devrait avoir des plumes au lieu d'écailles... Grand-papa et grand-maman écoutent avec émerveillement leur petit paléontologue de cinq ans.

Un des plaisirs de l'été, quand on est chez grand-papa et qu'on a faim, c'est d'aller au jardin s'arracher une carotte, de la passer sous le robinet, puis de la manger en la tenant par la queue! Sans parler des framboises, au mois de juillet. Ah! Les framboises et les carottes de grand-papa! Elles sont les meilleures au monde.

Mais tout près, veille aussi grand-maman, la grand-maman si ingénieuse, si accueillante pour tous ses petits-enfants. Approchons-nous de la maison.

Grand-maman Monique

Quand les enfants viennent à la maison, l'atelier de Monique fait office de salle aux trésors. Rien de mieux que des chutes de tissu, du fil, des aiguilles, des boutons, pour faire aller l'imagination. N'est-ce pas un serpent que je vois là? Grand-maman a des armoires pleines de tissus de toutes sortes. Anne-Sophie trouve que c'est le «fun» de pouvoir choisir *le tissu lilas pour le bas de son pyjama, et de commander un chat pour décorer le pantalon! Et puis, quand on n'a pas autre chose à faire, on peut s'émerveiller en feuilletant les revues de courtepointes de grand-maman. Quelles belles couleurs!*

Grand-maman excelle à mettre les idées des enfants en valeur. Bon, voici une boîte de carton. Veux-tu qu'on fasse un fort avec? Tu vois ça comment? Où on met la porte? Tu veux qu'elle puisse s'ouvrir? C'est faisable. Et les fenêtres? Tu veux un deuxième étage? Comment on ferait ça, donc? Et on se retrouve, une heure plus tard, avec une maquette de fort où s'animent schtroumpfts et transformeurs, hommes-araignées, etc.

Quand Anne-Sophie, six ans, décide de danser, il faut voir sa sœur, trois ans, l'imiter. Alors, ce n'est pas étonnant que la robe de princesse fabriquée pour l'Halloween ait été récupérée pour le spectacle de danse. Oui, oui, samedi matin, spectacle de danse à Longueuil, avec une improvisation solo d'Anne-Sophie. Ça s'annonce bien! Les grands-parents sont plus que comblés par la performance de leurs petits-enfants.

Grand-maman, c'est aussi celle qui peut improviser à peu près n'importe quelle réparation. Alors, quand on se fait un accroc, on sait qu'on peut aller la voir et qu'elle va nous arranger ça, et que des fois, c'est encore plus beau réparé! Une marguerite, une broderie pour masquer un reprisage, c'est plus joli que pas de marguerite ou pas de broderie! Et de rappeler à Raphaëlle que si elle met du mauve ou applique une poche, ça double la valeur du vêtement! Grand-maman pense à tout... Anne-Sophie est allergique aux produits laitiers? Quels trésors d'ingéniosité sa grand-mère ne déploie-t-elle pas pour lui faire des desserts qu'elle peut manger sans danger. «Oui, tu peux!» avec des yeux rassurants.

Enfin, grand-maman est une raconteuse d'histoires hors pair. Qu'il fait bon se coller sur elle, de chaque côté, et l'entendre raconter, non, jouer les histoires. Et chacun des petits-enfants de dire: «Encore une autre! Celle-là!» Jusqu'à ce qu'on tombe littéralement de sommeil! Les petits princes et les petites princesses sont déjà passés au pays des rêves bleus.

En les regardant grandir

Au sortir de ce charmant récit, et sur la base d'une observation réaliste dans mon environnement, je me rends compte que les grands-parents ne se lassent jamais de s'occuper de leurs petits-enfants, même si parfois ils le font en imposant certaines règles ou des rites qui n'altèrent en rien la grande dose de gratuité qu'ils manifestent à leur première et à leur «seconde progéniture». Même lorsqu'ils grandissent — et ils poussent si vite — les petits-enfants savent encore conquérir le cœur de leurs grands-parents sous des formes d'expression différentes, certes, mais non moins réelles. En les regardant grandir et s'épanouir, les grands-parents exercent d'autres modes de gratuité et de présence, mais ils ressentent une fierté bien légitime: la suite du monde est assurée.

Denise Lever

Ô GRATUITÉ!

Tu es jaillissement de vie, don premier de Dieu.
Tu es lumière, conscience vive du présent.
Tu es l'expression d'un véritable amour.
Tu te vis dans les petites choses comme dans les grandes.
Tu donnes généreusement sans humilier autrui.
Tu partages tes talents, ton temps et ton argent.
Tu cultives tous tes dons pour mieux servir.

Transfigurée par ta Lumière, que ma vie rayonne la foi en l'autre!

Tu es le regard clairvoyant qui rappelle à la vie.
Tu es l'oreille attentive qui écoute la clameur du pauvre.
Tu parles toujours de l'abondance du cœur.
Tu es la main qui ouvre largement son escarcelle.
Tu es le pas généreux courant vers toute détresse.

Réconfortée par ta Présence, que ma vie ravive l'espoir chez l'autre!

Tu es humble sans être effacée.
Tu es légère sans être insouciante.
Tu es secrète sans être hermétique.
Tu es vigilante sans être importune.
Tu es reconnaissance, car tu es la mémoire du cœur.

Embrasée par ta Flamme, que ma vie allume l'amour chez l'autre!

Tu es le plus beau rêve à bâtir dans le monde.
N'es-tu pas le chemin qui introduit dans la Félicité de Dieu?
Je t'aime, ô gratuité!

Denise Lever

POUR VOTRE RÉFLEXION

Un ami est celui qui vous ouvre si vous avez frappé, qui vous donne si vous demandez, sans tenir la comptabilité de ses dons. (Franscesco Alberoni)

* * *

Une bonne part de l'altruisme, même parfaitement honnête, repose sur le fait qu'il est inconfortable d'avoir des gens malheureux autour de soi. (Henri Louis Mencken)

* * *

Vous ne donnez que peu lorsque vous donnez vos biens. C'est lorsque vous donnez de vous-mêmes que vous donnez réellement. (Khalil Gibran)

* * *

Il n'y a rien de meilleur au monde que ces amitiés merveilleuses que Dieu éveille et qui sont comme le reflet de la gratuité et de la générosité de son amour. (Jacques Maritain)

* * *

Il faut donner du temps à son prochain. Même si c'est peu, faites quelque chose pour autrui — quelque chose qui ne vous rapportera rien de plus que le privilège de l'avoir fait. (Albert Schweitzer)

* * *

Celui qui cache sa générosité est doublement généreux. (José Narosky)

* * *

La question la plus permanente et la plus urgente de la vie: que faites-vous pour les autres? (Martin Luther King)

* * *

Nos gestes d'assistance rendent les hommes encore plus assistés sauf s'ils sont accompagnés d'actes destinés à extirper la racine de la pauvreté. (Dominique Lapierre)

* * *

C'est cela l'amour, tout donner, tout sacrifier, sans espoir de retour. (Albert Camus)

* * *

J'ai tout connu et j'ai tout reçu. Mais le vrai bonheur, c'est donner. (Alain Delon)

7
UNE PAROLE POUR L'ESPÉRANCE

ENTRE LA RAGE ET LE COURAGE:
LE CHEMIN DE L'ESPÉRANCE

Pour rencontrer l'Espérance,
il faut être allé au-delà du désespoir.
Quand on va au bout de la nuit,
on rencontre une autre aurore.

Georges Bernanos

«Je ne lis plus les journaux», me disait ma fille tout récemment. Elle trouve qu'il s'en dégage une odeur nauséabonde qui transpire le malheur, la souffrance humaine, les situations de vie tellement horribles parfois. Nombreux sont les jeunes dans le monde qui s'interrogent et se demandent s'il existe une espérance face à l'avenir. Nos sociétés sont si ébranlées. L'avenir même de l'humanité est incertain, avec la pauvreté en constant accroissement, la souffrance de nombreux enfants, tant et tant de ruptures qui déchirent le tissu social, la mauvaise répartition des richesses, l'exploitation des pays pauvres couvrant les deux tiers du globe, sans compter les guerres, les relations humaines difficiles, les déviances psychologiques de toutes sortes... Comment continuer d'espérer?

J'ai une amie de longue date qui vient d'enterrer son quatrième enfant. Trois d'entre eux se sont suicidés, à quelques années d'intervalle. Que faut-il comprendre de leur geste? Un mal de vivre épouvantable? Le reniement d'un monde de corruption et d'aberrations de tous genres? Devons-nous accuser l'égoïsme collectif qui gaspille le bien de l'ensemble? Ces morts disent non à quoi? À un monde dénué de sens? À une société vide d'amour? À une solitude devenue insupportable? Où pouvons-nous encore puiser de l'espérance?

Aujourd'hui, l'espérance est mise à rude épreuve, jusqu'à l'épreuve de la peur. L'être humain qui a peur aboie ou se terre. On ne le reconnaît plus dans son humanité telle qu'elle a été conçue par le Créateur: un être debout, en marche, responsable, vivant.

Nous avons tellement soif d'espérance. L'espérance d'un monde plus juste, plus humain. L'espérance de trouver enfin celui ou celle qui saura nous aimer. L'espérance de goûter à un moment de bonheur. L'espérance d'arriver à un mieux-vivre, sans tension, sans course inutile, sans conflit, sans compétition.

Deux images me parlent d'espérance. La première est celle d'une petite lumière, la lumière d'une bougie. Quand elle est là, tout s'éclaire. Elle nous aide à avancer à travers les ombres de nos vies. Si le vent souffle trop fort, elle vacille, comme sur le point de s'éteindre. Il faut alors la protéger de la main et aussitôt elle reprend force et vigueur. Son champ d'action est restreint, mais la clarté et la chaleur qu'elle dégage apaisent nos peurs et nous donnent confiance. Elle nous laisse entrevoir une route à suivre, une brèche dans un mur, une porte ouverte.

Souvent, c'est à l'intérieur de la personne que la petite lumière brille le plus intensément. Le corps agit alors comme une lanterne et l'espérance s'exprime dans le regard, le ton de la voix, les gestes compatissants. Nous devons accueillir notre lumière intime et prendre le temps de goûter les moments de vie qu'elle apporte avec elle. Nous ne devons pas chercher à l'éteindre ou à la fuir; nous devons plutôt lui donner toute la chance d'éclairer, puisqu'elle répand le goût de vivre partout où elle rayonne.

Une autre image qui me parle beaucoup d'espérance est celle d'une femme enceinte. Mystérieusement, une autre vie est en train de naître en elle. On la devine par le ventre arrondi, par la transformation visible de tout son être. Cette attente est pleine de promesses. Parfois mêlée d'inquiétudes, de peur de l'inconnu, de malaises, elle est revivifiée par des moments de joie, des petites attentions, des marques d'affection. C'est une attente qui prépare au bonheur. Porter un enfant, c'est porter le désir de naître avec lui à une vie renouvelée. L'enfant que nous attendons est celui en qui nous déposons notre espérance que le monde de demain sera plus humain. L'espérance est une force, une attitude, une capacité à imaginer le monde autre, meilleur.

Dans la Bible, l'espérance prend aussi divers visages. Au temps de la première Alliance, elle s'exprime dans la joie d'Abraham et de Sarah qui attendent un enfant. Elle est l'espoir d'entrer un jour dans la Terre promise alors que le peuple d'Israël, guidé par Moïse, affronte chaque jour l'expérience difficile du désert. Elle se retrouve dans le regard de tous les prophètes tournés vers la venue possible d'un Messie qui apportera à Israël la paix, la prospérité, la justice. L'espérance est parfois ébranlée au point de paraître impossible. Dans les livres de Job et de Jérémie, l'espérance n'est plus qu'un cri, mais un cri audacieux, rempli d'attente. Les protestations de Job et les plaintes de Jérémie deviennent autant de clameurs d'espérance. Tous deux demeurent convaincus que Dieu va devenir leur allié et leur rendre la dignité.

Voilà l'espérance fière et hardie dont nous avons besoin aujourd'hui. Devant les situations de violence, devant l'oppression systématique des pauvres, nous avons le droit, le devoir même, de crier et de protester au nom de notre propre dignité et de la dignité de tout être vivant. Nous avons le droit de crier vers Dieu tout en continuant d'espérer.

Dans les récits de la Nouvelle Alliance, particulièrement dans les évangiles, l'espérance dans le rêve d'une humanité transfigurée, Jésus l'appelle le Royaume. Le projet évangélique de transformation de toute la personne est appelé à se réaliser progressivement. La vie chrétienne est une vie en devenir. On n'a jamais fini, du moins sur terre, de devenir fils et fille du Père, *parfaits comme le Père* (Mt 5, 48). C'est un idéal qui nous tire en avant. C'est le rêve de Jésus. Dans la foi et l'espérance, nous savons que ce rêve, ce désir intérieur sera la réalité de l'avenir, lorsque nous serons définitivement en Dieu.

L'espérance de Paul est axée entièrement sur son expérience, sur la route de Damas, de Jésus ressuscité. Sa grande certitude est que, depuis la résurrection de Jésus, la Mort est vaincue. Désormais, ce n'est plus la peur mais la confiance qui habitera le cœur du croyant, même lorsqu'il risquera sa vie pour annoncer l'Évangile. Son espérance s'exprime par une confiance inébranlable dans le Dieu des Vivants:

> Oui, frères et sœurs chrétiens, nous voulons vous faire connaître ceci: dans la province d'Asie, nous avons supporté de grandes souffrances. Leur poids était très lourd, il a dépassé nos forces, nous avons même cru mourir. Nous étions sûrs d'être condamnés à mort. Ainsi, nous ne pouvions plus mettre notre confiance en nous-mêmes, nous devions mettre notre confiance en Dieu, qui réveille les morts. C'est Dieu qui nous a délivrés de ce danger de mort et il nous délivrera encore. Oui, nous avons mis notre espérance en lui, il nous délivrera encore. (2 Co 1, 8-10)

L'espérance chrétienne ne supprime pas les tensions et les conflits; elle aide à les porter vaillamment et elle permet de les dépasser. L'espérance apporte avec elle la sérénité, car elle éclaire notre regard à partir du foyer de lumière divine présent au plus intime de nous.

Nous pouvons essayer de remplacer Dieu par du néant et du mensonge, mais quand nous découvrons que notre désir est en quelque sorte sans remède et insatisfait, nous prenons alors conscience des illusions dont nous étions la proie et nous nous tournons spontanément vers Dieu, unique source d'une espérance vraie. «Dénuder la soif, c'est montrer la source», disait Gustave Thibon.

Nous avons soif d'un Dieu qui ne soit pas ténèbres et qui soit Autre que nous. La lumière divine nous permet de voir que l'aventure humaine débouche sur autre chose qu'un désespoir profond, une interrogation sans réponse ou une insouciance vide. Elle nous donne la force de bâtir et de vivre et celle, plus grande encore, d'espérer même quand la vie est remplie de morts. Personnellement, j'aime trop la vie pour ne pas la croire infiniment belle, pleine et juste.

L'espérance chrétienne n'est pas enfermée dans un horizon humain et terrestre: elle vise l'Amour infini de Dieu. En même temps, elle refuse de se désincarner, de quitter le sol. Elle a sa source en Dieu, mais son enracinement est à la fois terrestre et divin. Je crois sincèrement que c'est dans un engagement très concret sur la terre que l'être humain peut rencontrer Dieu, s'ouvrir à lui, accueillir son amour, faire sien son projet, son rêve pour l'humanité. Ainsi, chacun des gestes posés, chacune des paroles de compassion exprimées seront autant de gouttelettes d'espérance qui inonderont le cœur de l'être humain et lui permettront de croire à un monde meilleur, au Royaume tant recherché.

Quand l'Église vit la confiance, le pardon, la compassion, quand elle accueille dans la joie et la simplicité, elle parvient à transmettre une espérance vivante. Quand des chrétiens prennent dans leur propre vie une résolution pour la paix, ils portent une espérance qui éclaire au loin, toujours plus loin. Quand nous nous soutenons les uns les autres, ne nous laissant pas arrêter par les obstacles, mais cherchant plutôt les moyens de les vaincre ensemble, quand nous retrouvons le courage d'aller de l'avant, alors surgit l'inespéré et nous vivons une grande joie du cœur. Dieu nous veut heureux.

Charles Péguy dit de l'espérance qu'elle est cette petite fille de rien du tout, mais qui entraîne tout. Car la foi ne voit que ce qui est, tandis que l'espérance voit ce qui sera[1]. En d'autres mots, l'espérance repose dans les bras de Dieu, elle accepte demain parce qu'elle sait que demain, quel que soit le jour, Dieu y sera.

L'espérance s'exprime en groupe. Des rencontres, du vivre ensemble, se dégage le sentiment de faire partie d'une équipe, d'une famille, d'une communauté, sans lesquelles nous serions des bouteilles jetées à la mer. Suivre des chemins d'obscurité, loin de nous affaiblir, peut nous construire intérieurement, si nous ne les parcourons pas seuls. Jean Vanier, fondateur des communautés de l'Arche, nous propose un chemin d'espérance: «N'ayez pas peur de devenir ces goutte-à-goutte, ces transfuseurs d'Espérance qui savent regarder l'autre comme un joli pas à découvrir, sans s'arrêter à ses marécages et ses déserts… et qui savent leur dire. L'Espérance c'est comme une lettre: il faut y mettre un timbre et la poster pour l'envoyer à l'autre.»

---

[1] PÉGUY, Charles: «L'espérance.»

Accueillons le jour qui vient comme un aujourd'hui de Dieu. Cherchons en tout la paix du cœur. Que l'espérance d'une vie en abondance nous invite à savourer les joies quotidiennes et à croire à l'Amour immense de Dieu pour la création tout entière. Et la vie devient belle... et la vie sera belle!

Ma lumière et mon salut, c'est toi Seigneur.
J'en suis sûre, je verrai les bontés du Seigneur
sur la terre des vivants.
Espère le Seigneur;
sois fort, prends courage;
espère le Seigneur.
(Ps 27, 13, 14)

Francine Vincent

TÉMOIN

LA VOIX DES SANS-VOIX

J'écris les hommes et leurs histoires.
L'appareil est ma plume,
la lumière, mon encre,
les pixels, mon alphabet
et l'image, ma page d'écriture.

Reza

Il se dit le conteur de l'histoire de l'humanité. À travers les images captées par son appareil photo, il décrit la souffrance et la misère, particulièrement celles subies par les enfants du monde. Il précise: «J'essaie depuis toujours d'être le témoin de l'Histoire, mais aussi la voix de ceux qui n'ont pas de voix. C'est ça pour moi le plus important.»

Né à Tabriz, ville du Nord-Ouest de l'Iran, en 1952, Reza est un journaliste-photographe qui sillonne le monde depuis 25 ans, afin de traduire à travers son art et ses reportages les blessures et les joies de ceux et celles qui croisent sa route. Il travaille pour le *National Geographic Magazine* et voyage partout, du Bosphore à la Muraille de Chine, des Philippines à l'Asie centrale, portant un regard plein d'humanité sur les tourments qui l'agitent.

Reza est un visionnaire: dans chacune de ses images, il regarde au-delà de ce qui apparaît devant son objectif. Dans la figure courbée d'un homme qui s'éloigne, tournant le dos à une affiche de Khomeiny, il incarne l'espoir d'un retour de la paix en Iran; dans la mimique des enfants himalayens qui, malgré la peur des combats, tentent avec leurs mains d'imiter le geste du photographe, il reproduit un inoubliable instant de bonheur; dans le regard du jeune potier, un enfant qui peine douze heures par jour sans voir la lumière du soleil, il capte l'attente de jours meilleurs.

À travers chacune de ses photos, Reza offre sa vision sincère et engagée du monde: «Photographier, pour moi, c'est capter l'âme de quelqu'un à travers son mouvement, son regard, son langage corporel. Le seul moyen pour que la personne vous offre son image, son âme, c'est qu'elle ait confiance en vous. C'est cette confiance qu'il s'agit de créer. Avant même que toute parole soit prononcée.»

Plus qu'aucun autre, et probablement parce qu'il a lui aussi beaucoup souffert, Reza sait distinguer dans chaque œil, même le plus accablé, cette lueur d'espérance sans laquelle la condition humaine ne serait que tragique. Il sait faire ressortir des situations les plus noires cette beauté formelle prise au cœur même des conflits. Il pointe du doigt l'espoir au-delà du drame humain, la lumière au cœur des ténèbres, la vie malgré la mort. Ses images témoignent de sa foi en l'humanité, en son courage, en sa capacité de survivre, en son désir profond de paix et d'amour.

Il parle avec les gens, mais il vit aussi avec eux. Il respire avec eux, il rit et chante avec eux, il partage leurs souffrances et leurs joies quotidiennes. Aussi, les personnes qu'il photographie lui ouvrent facilement leur cœur et les secrets de leur vie. Il écrit: «Quel privilège est ce moment précis où j'ai le sentiment de devenir un avec celui que je photographie!» Reza est un être engagé qui utilise la photographie comme outil: «La photographie ne peut changer le monde, c'est l'homme qui doit le changer.» Par ses images, plutôt que par des textes, l'artiste est convaincu de rejoindre un plus grand nombre de personnes.

Il a vécu tous les bouleversements qui ont frappé son pays: la guerre civile, la Révolution, la violence, les restrictions importantes concernant les libertés individuelles. Son but est d'exprimer en images le désir de liberté et de justice des muets apeurés. Reza a décrit, par le journalisme et la photographie, la pauvreté et l'injustice sociale que subissait le peuple iranien, et aussi le régime du

Chah, qui refusait toute démocratisation. Et comme il fallait s'y attendre, il est arrêté en 1975, pour «acte de rébellion pouvant nuire à la sécurité de l'État». Il restera trois ans en prison, où il connaîtra la torture physique. Mais celle qui le fait le plus souffrir est celle de sentir l'odeur de ses films, de ses négatifs, de ses épreuves que ses bourreaux brûlent sous la fenêtre de sa cellule. S'il peut résister à cette violence, c'est que ses bourreaux ne réussissent pas à casser la vigoureuse espérance de vivre qui l'habite.

En février 1980, il est blessé dans la guerre Iran-Irak par un éclat d'obus. Il traverse alors les frontières pour se faire opérer à Paris. Il part avec son sac d'appareils, et c'est ainsi que commence sa longue route de l'exil. Depuis, il parcourt le monde pour témoigner des tourments qui l'agitent. Ses photos traduisent ce qu'il voit, ce qu'il ressent, ce qu'il comprend du monde: guerres et révolutions, massacres et exils, labeur et misère, mais aussi tendresse et beauté, grâce, poésie et sagesse, et surtout l'espoir. Il immortalise autant d'instants de vie, le destin de femmes, d'hommes et d'enfants.

Le 14 novembre 2004, lors d'une entrevue télévisée sur la chaîne de Radio-Canada, Reza parle de la barbarie humaine et de toute la souffrance qui est particulièrement vécue par les enfants du monde. Il raconte qu'un jour, ayant assisté au procès de l'un de ses tortionnaires qui disait n'avoir jamais martyrisé ou violenté un être humain, il a voulu se faire reconnaître de l'homme et lui montrer qu'il était toujours vivant. Après l'interrogatoire, il est allé à sa rencontre. Celui-ci l'a reconnu, mais Reza a fait mine de rien et lui a dit en lui tendant la main: «Est-ce que je peux faire quelque chose pour vous ou pour votre famille?» L'homme s'est effondré immédiatement, et Reza a vu dans ses yeux qu'il était brisé.

Reza est un homme d'une grande beauté intérieure. Il croit en la vie, c'est ce qui nourrit son espérance. Il dira un jour à une jeune enfant qui l'invitait à associer sa pensée à des mots: «Ma fleur préférée est le tournesol, parce qu'il cherche continuellement le soleil. L'homme célèbre qui m'influence le plus: Gandhi. Ce que je ferais d'une baguette magique: j'arrêterais toutes les guerres. Mon objet préféré: un verre d'eau dans le désert.» Ces réponses disent beaucoup sur l'homme.

Dans l'hommage qu'il écrira pour un ami mort à cause du combat de libération qu'il avait mené, il dira: «Tu as été la flamme sur la route difficile de la paix. Mon ami, je crois fortement que la vie est belle quand je vois d'autres porteurs de flamme poursuivre le chemin que tu nous as tracé. Souviens-toi de cet ancien proverbe persan que je te citais un jour: Toutes les ténèbres du monde réunies ne peuvent étouffer la lueur d'une seule petite bougie.»

Francine Vincent

NAÎTRE À L'ESPÉRANCE

Lorsqu'il ouvre les yeux comme pour la première fois.
Autour de lui se confrontent misère et opulence, effondrement et prospérité, détresse et sécurité.

Le pays qui l'a vu naître se meurt. Au nom de la prospérité, les notables boivent son sang.
Illusion. La richesse, la vie paradisiaque, les sourires. Tout n'est qu'illusion.
Blessé, bafoué, dépossédé, brisé, le paysan est écrasé par le pied du capitaliste.
Enrichissement. Profit. Mondialisation.
Rien pour le petit reste qui pourtant donne jusqu'à la dernière goutte sa vie et sa santé,
Toujours pour faire tourner l'affreuse machine de la rentabilité,
Et garnir les goussets des gens bien nés.

Désormais, il n'accepte plus de telles injustices. Ses yeux ont vu l'horreur.
Éveillé à la souffrance de son peuple, il ne peut plus dormir paisiblement.
Reculer, baisser les bras, ne rien faire, serait aller à l'encontre de l'Évangile.
Avec beaucoup de courage et d'audace, il trace la route de la dignité humaine.
Non sans peine, il interpelle les hauts dirigeants, les ministres, les propriétaires, le clergé.
Gardant la tête haute, il parle au nom de la liberté, de la justice,
En accord avec l'image qu'il se fait du Royaume de Dieu.

Annonce pleine d'espérance dans un monde de ténèbres.
Nerveusement, sous la pression de l'un et l'autre, on lui reproche son implication politique.
Toute la population est cependant avec lui, derrière lui.
En cet homme, c'est le Christ qu'ils voient, un Christ qui n'a pas peur de se mouiller pour eux.

Dorénavant, le peuple ne souffrira plus seul. Un homme parmi eux s'est levé.

Un homme qui a été touché droit au cœur par l'injustice,
Nul être humain n'a le droit de priver son frère, sa sœur, de la dignité, de la liberté
Et du pain qui nourrira sa famille.

Parole engagée.
Agir qui ouvre à la lumière de l'espérance.
ROMERO! Ton nom à lui seul ouvre à un monde de possibles.
Oublié de tous, les méprisés du Salvador que tu aimes ne le seront pas de Dieu.
Leur nuit sera encore longue, mais ils ne la traverseront plus seuls.
En toi, c'est Dieu lui-même qui dénonce la violence et le terrorisme, et appelle à la Vie.

Espérance. Quel mot doux à l'oreille!
Ni la souffrance, ni la guerre, ni les beaux discours, ni la mort, ne la tueront en eux désormais.
Gardienne de la vie, elle ouvre une voie vers le meilleur, vers le plus beau, vers l'essentiel.
Aucune mort ne demeurera vaine. On a tué l'archevêque des pauvres le 24 mars 1980.
Garde la tête haute, le regard franc, le cœur pur, noble paysan, et lutte contre les injustices.
Étoile qui scintille à jamais dans le cœur des Salvadoriens:
Espérance. C'est la lumière qui brille dans tes yeux.

* * *

La liberté dérangeante d'une parole engagée

Monseigneur Oscar Arnulfo Romero (1917-1980) est l'objet de vénération de tout un peuple et demeure une lumière d'espoir pour le monde entier parce qu'il a voué sa vie à la défense des pauvres et des opprimés. La fin de sa vie a, en effet, été marquée par son combat inlassable pour la paix et la justice, malgré l'incompréhension de l'épiscopat conservateur de son pays, et celle même du Vatican qui lui conseillait la prudence.

Prenant conscience de la menace qui planait sur lui, il affirmait: «Si je suis tué, je surgirai dans le peuple du Salvador. Nous accomplissons dans notre vie seulement une fraction minuscule de l'entreprise magnifique qu'est le travail de Dieu... nous plantons les graines qui un jour croîtront[1].»

Francine Vincent

---

[1] Sobrino, Jon, *Monseigneur Romero: une bonne nouvelle pour les pauvres,* Paris, Cerf, 1992.

POUR VOTRE RÉFLEXION

Le rire des enfants est pour moi la preuve de l'existence de Dieu, ma seule espérance. (Astrid d'Ozan)

* * *

L'espérance est la plus grande et la plus difficile victoire qu'un homme puisse remporter sur son âme. (Georges Bernanos)

* * *

Où est une âme, là est l'espérance. (Proverbe turc)

* * *

C'est Péguy qui m'a fait comprendre ce qu'était l'espérance. On confond souvent l'espérance avec la foi et la confiance. Et on la confond souvent aussi avec l'espoir. En fait, il me semble qu'on a tort. L'espérance, c'est l'aptitude à transformer le monde. «Elle fait de l'eau pure avec de l'eau mauvaise, de l'eau jeune avec de l'eau vieille, des matins jeunes avec de vieux soirs.» L'espérance est «la vertu de la création» et plus précisément de la «création continuée». L'espérance «constamment dévêt de ce vêtement mortel de l'habitude». Sans l'espérance, la foi et la charité risquent toujours de devenir des habitudes. «Et l'espérance, tous les matins, se réveille et se lève et fait sa prière avec un regard nouveau.» (Alain Houziaux)

* * *

Si tu as été aimé, si tu as donné du bonheur ou de l'espérance, il se trouvera forcément quelqu'un, au jour de ta mort, pour te fermer les yeux, quelqu'un pour rassembler tes amis, organiser une veillée et t'entourer de tes souvenirs les plus chers. (Jacques Attali)

* * *

Le partage est une nourriture qui fait renaître l'espérance. (Jean Vanier)

* * *

Une société qui écarte les non-productifs et les faibles risque de surdévelopper la raison, l'organisation, l'agressivité et le sentiment de domination. Elle devient une société sans cœur ni gratuité, une société rationnelle et triste, sans célébration, vouée aux divisions internes, à la compétition, à la rivalité et finalement à la violence. Il faut être contagieux d'espérance. Voilà une mission pour nous tous. (Jean Vanier)

* * *

Patrick Vinay déclarait en parlant de Lucille Teasdale: «Son action et sa personne témoignent de l'infinie valeur des personnes, de l'universalité des drames qui se jouent dans chaque vie humaine, de la fondamentale égalité de tous les hommes, et de la joyeuse espérance qui naît du don de soi.»

8

UNE PAROLE POUR LE BONHEUR

L'Évangile appelle tout homme, toute femme,
à se faire porte-bonheur dans la maison de ses jours.

HOMÉLIE SUR LA MONTAGNE

Jésus a été invité, à l'occasion d'une célébration en plein air sur le mont Royal, à partager son expérience du bonheur. Voici son témoignage.

Chères amies,
chers amis,

Bonjour! Les lilas sont en fleurs. Je suis content d'être parmi vous. On a beaucoup commenté mes propos sur le bonheur recueillis dans les évangiles, mais c'est la première fois qu'on m'invite à exprimer mon expérience personnelle du bonheur. Je vous en remercie. Ai-je été un homme heureux?

J'ai eu la chance d'être éduqué au bonheur. Ma mère admirait avec plaisir les fleurs de l'amandier au fond du jardin; mon père avait une étoile dans les yeux quand il glissait sa main sur les contours d'un meuble achevé. J'ai donc appris très tôt à cueillir les humbles bonheurs de la vie quotidienne. J'ai appris de mes parents l'attention et le temps nécessaires à l'accueil du bonheur.

Cette initiation m'a donné de savoir plus tard m'extasier devant une marée de blés dorés ondulant sous le vent, devant les feux envoûtants du soleil en partance, devant le lys en sa magnificence royale. Elle m'a donné de savoir goûter les plaisirs de la convivialité, jusqu'à me faire une réputation de glouton et de buveur auprès de certains. J'ai en effet souvent partagé un bon repas et un vin agréable avec des amis. Je me mêlais volontiers à une fête populaire où l'on dansait et chantait au son de la flûte jusqu'à tard dans la soirée.

Je crois fortement que l'espace de la Création et le temps des hommes sont les lieux d'un bonheur possible. Je crois que les joies du corps, de la sensibilité et du cœur sont voulues et offertes par Dieu, qu'elles sont des éléments de son Royaume, qui se construit en pleine humanité, à même les gestes, les émotions et les rencontres qui nous font grandir comme personnes.

Je me suis entraîné à gérer mon stress, comme disent les psychologues de maintenant. Quand je sentais la tension ou la fatigue m'envahir après une longue route sous le soleil, une mission particulièrement pénible, une altercation avec un pharisien malin ou encore avant de faire un choix important, je m'accordais volontiers un temps de repos et de détente dans la fraîcheur et la sérénité de la montagne. Je parlais alors à mon Père. Croyez-moi, la prière du cœur est une merveilleuse fontaine de sérénité intérieure. Je souhaite à chacune et chacun de vous de garder au sanctuaire de son âme un espace ouvert à la bienfaisante tranquillité de la nature et à la rencontre du Dieu de la paix.

Ne croyez pas que je volais tel un ange au-dessus des duretés de l'existence. J'ai vécu les misères et les fragilités humaines, les miennes et celles des femmes et des hommes de mon époque, qui était une époque de rudesse sociale et politique. Si j'ai parlé de pauvreté, c'est que j'ai connu le pouvoir mortifère de la misère; si j'ai parlé de douceur, c'est que j'ai connu la violence et ses dévastations; si j'ai parlé de miséricorde, c'est que j'ai connu les mesquineries et les ambivalences du cœur humain; si j'ai parlé de justice, c'est que j'ai connu les dominations et les inégalités déshumanisantes.

J'ai constamment tenté de porter un regard lucide sur les personnes et la société. Je crois que la cécité et l'évasion devant les détresses individuelles et collectives ne sont pas des sources authentiques de bonheur. Mieux vaut une conscience inquiète qu'une conscience endormie. La conscience inquiète est créatrice d'engagements et de projets salvateurs. J'admire celles et ceux d'entre vous qui cultivent une lucidité vigilante et une liberté inventive. Ils sont de véritables pèlerins de mon Évangile.

Je me réjouis que mon Sermon sur la montagne soit toujours une parole pertinente, bien accueillie, même par des agnostiques et des athées. Dans ce discours monté de mon cœur, je n'ai pas voulu sacraliser le malheur. Si je déclare heureux les pauvres, les blessés, les victimes d'injustice et de persécution, c'est que je leur offre la délivrance, et dès maintenant. Le bonheur que je leur promets a toutefois peu à voir avec le rêve d'un bonheur qui naîtrait de la conquête de l'argent, de la réussite, du pouvoir. Il s'agit d'un bonheur tout autre, qui grandit depuis les profondeurs du cœur et de l'âme. Un bonheur à forte teneur spirituelle. Un bonheur qui déborde, sans les nier ni les dévaloriser, les dimensions matérielles sensibles et affectives de l'existence humaine.

Il s'agit en fait d'un bonheur de converti. Il s'agit du bonheur de l'homme ou de la femme qui révise courageusement son choix de valeurs et qui s'engage à renoncer à ses vieilles priorités de domination, de profit, de violence et de rancune, et à en assumer de toutes neuves, qui remettent en question, et radicalement, son orientation personnelle et son environnement social et politique: la douceur, la pauvreté du cœur, la justice, la paix, le pardon...

Je me suis constamment efforcé d'être authentique. Les philosophes existentialistes seraient contents de moi. J'ai offert mon pardon à mon disciple Pierre égaré par la peur, et aussi à Marie-Madeleine que j'ai aimée plus loin que ses errements; j'ai vécu la compassion envers la foule mendiante de pain et encore envers les blessés du corps et de l'âme; j'ai manifesté une grande douceur envers la femme accusée d'adultère; j'ai gardé, difficilement je l'avoue, l'espérance quand j'ai été persécuté par fidélité à mon Père; et pour mes disciples désemparés, j'ai été, après ma résurrection, un donneur de la paix qui permet de reprendre la route.

J'étais contre toute forme de discrimination et d'exclusion. J'éprouvais un contentement spécial à transgresser les frontières des préjugés, des races et des religions. J'ai guéri des lépreux et des païens. J'allais prier à la synagogue. J'ai accueilli des femmes comme collaboratrices et comme amies. J'ai conversé volontiers avec une Samaritaine. Je me préoccupais fort peu de mon image publique. C'est une forme de liberté intérieure qui donne solidité et joie.

De grâce, ne vous servez jamais des *Béatitudes* pour justifier le malheur et la souffrance. Ne vous en servez jamais comme d'un analgésique pour calmer l'indignation et la révolte devant la pauvreté qui désespère, devant les inégalités et les injustices qui déshumanisent. Ne vous en servez jamais pour inviter à la résignation en attendant le bonheur après la mort. Le bonheur n'est pas dans la résignation, il est dans la libération de la vie, personnelle et collective.

Les *Béatitudes* se conjuguent au présent. Les pauvres, les affligés, les affamés sont appelés à être heureux dès maintenant, puisque c'est maintenant qu'ils sont appelés à s'humaniser et à humaniser ensemble la société, avec l'aide de Dieu qui les aime, qui les respecte, qui les voit comme les vrais rénovateurs de l'humanité. La personne qui devient patiemment elle-même marche dans le bonheur et elle donne joie à son Créateur.

Les valeurs des *Béatitudes* vous paraissent peut-être idéalistes, démesurées. Elles sont encore, je pense, d'une évidente nécessité. Je vous appelle à les vivre en paroles mais surtout en gestes et en engagements solidaires. Je vous appelle à une contestation audacieuse des valeurs dominantes qui sont malheureusement les mêmes que celles de mon temps: le mépris et l'exploitation des faibles, le mensonge habile, l'hypocrisie manipulatrice, le racisme diviseur, l'exclusion, l'argent-roi, le pouvoir profiteur, la violence. Et spécialement la suffisance. La suffisance qui ferme le cœur devant le voisin en détresse et devant Dieu qui offre son amour libérateur.

Quelque chose du règne de Dieu apparaît chaque fois que vous osez marcher avec d'autres pour le rétablissement de la dignité humaine, de la justice, de la paix. Je compte sur vous pour incarner les *Béatitudes* d'une manière neuve et hardie dans votre existence personnelle et dans votre communauté. Vous êtes ma voix et mes mains dans le monde d'aujourd'hui et de demain.

Je vous invite à découvrir un bonheur profond. Je désire partager mon bonheur avec vous. C'est pourquoi je vous livre en terminant l'ultime secret de ma vie, de mon bonheur.

Comme vous le savez, j'ai vécu des moments douloureux d'angoisse, de peur et de peine. Mais une petite flamme de joie a toujours continué de vibrer au fond de mon cœur: la flamme de l'amour. À vrai dire, mon secret tient en quelques mots: il n'existe qu'une source de bonheur vrai, et c'est l'amour. J'ai aimé Dieu mon Père, j'ai aimé les hommes et les femmes de mon temps. J'ai donc été un homme heureux.

Chères amies, chers amis, aimez et vous serez heureux!

Yvon Poitras

TÉMOINS

ÉDITH, GILLES ET LES ENFANTS

Chers amis,

Bonjour! J'ai parcouru tout le pays de mes amitiés à la recherche d'une personne, d'un couple ou d'une famille qui m'offrirait une image vivante de bonheur, et je vous ai élus!

Je me souviendrai toujours de votre mariage à Rivière-du-Loup. Édith était devenue une gente dame médiévale et toi, Gilles, tu évoquais le noble Jacques Cartier de la Nouvelle-France. Vos deux grandes, Marie-Pierre, 8 ans, et Andrée-Anne, 5 ans, étaient les dignes filles d'honneur. Et le plus inattendu: Gilles avançait dans l'allée centrale de l'église en portant dans ses bras le dernier-né, Jean-Gabriel, qui serait baptisé pendant la cérémonie.

Cette entrée au milieu d'une foule extasiée, tout en sourires, révélait les qualités de votre bonheur: un bonheur simple, libre, non-conformiste, pétillant, créatif, qui associe à la fois un homme et une femme qui s'aiment, leurs enfants, la parenté, les amis, le milieu social et les valeurs spirituelles.

Le bonheur d'une famille trouve sa source dans la vitalité de la relation entre le père et la mère. J'admire depuis longtemps, chère Édith et cher Gilles, le respect et l'admiration que vous vous offrez spontanément, votre remarquable compréhension mutuelle, votre volonté de grandir ensemble, votre capacité d'harmoniser vos projets et vos engagements.

Pour le bonheur et la vitalité de votre couple, vous avez assumé les adaptations et les compromis nécessaires. Vous partagez les tâches familiales d'une façon souple et équilibrée, en tenant compte de votre travail, de vos études, de votre santé et de vos aptitudes personnelles. Vous échangez volontiers les rôles selon les situations et les besoins des enfants.

Vous vivez à votre manière la conciliation travail-famille, dans le respect de vous-mêmes et avec le souci de l'éducation de vos enfants. Édith a accepté de bon cœur de rester plusieurs années à la maison. Elle a ensuite poursuivi des études pour entrer dans un nouveau champ professionnel. Vous avez pendant un moment utilisé deux voitures pour respecter à la fois le travail d'Édith et permettre aux autres membres de la famille de partir en vacances.

Vous réalisez déjà largement l'amour entre l'homme et la femme, tel qu'il est rêvé par le poète Rilke: «Un amour près de l'humain, infiniment délicat et plein d'égards, bon et clair dans toutes les choses qu'il noue et dénoue… Deux solitudes se protégeant, se complétant, se limitant, et s'inclinant l'une devant l'autre.»

Votre bonheur est vitalement marié à celui de vos enfants. Vous avez une douce et clairvoyante manière de les regarder, de les comprendre, de les respecter, de les éduquer. Vous les aimez comme ils sont, étonnamment différents. Vous savez écouter leurs désirs et leurs appels. Vous échangez volontiers avec l'un ou l'autre pour éclairer ses élans, ses égarements ou ses choix. Dans le service de vos enfants, vous trouvez l'émerveillement et la joie. À un collègue qui lui demandait s'il allait garder les enfants pendant la soirée, Gilles a répondu: «Je ne garde pas, ce sont mes enfants, je ne suis pas le gardien mais le père.»

Vous laissez vos filles et votre garçon vivre leurs expériences en leur assurant une attention aussi tolérante que vigilante. Il en résulte parfois des «bleus» et des pleurs. Mais vous avez le don de dédramatiser les suites d'une aventure téméraire ou d'une acrobatie ratée, avec un mot d'humour, un rire rassurant ou une balade dans vos bras. Vous relevez merveilleusement le premier et redoutable défi de toute éducation: offrir un bel espace de liberté et savoir imposer les limites nécessaires.

Vous regardez chacun de vos enfants comme un être unique avec ses forces et ses fragilités. Les activités que vous leur proposez sont adaptées à leurs capacités et à leurs intérêts. Chacun a son coin de jardin. Vous dressez une tente dans la cour pour faire plaisir à Andrée-Anne et Jean-Gabriel. Vous organisez «une soirée dans le Sud» à Mont-Rolland, avec costumes, chants et mets appropriés, pour réjouir Marie-Pierre dont les amies sont parties en Floride à l'occasion de la relâche scolaire. Vous avez parcouru une infinité de kilomètres pour conduire l'un ou l'autre à la garderie, à ses activités préférées ou chez des amis.

Vous savez reconnaître et stimuler les talents respectifs de vos enfants. Marie-Pierre a cultivé sa jolie voix en suivant des leçons de chant. Andrée-Anne, douée pour la musique, a le bonheur de faire chanter son clavier. Jean-Gabriel peut satisfaire à souhait sa passion pour la danse et les «sports extrêmes».

Vous avez initié vos enfants au bonheur des activités dans la grande nature: randonnées à pied ou en raquettes, parfois sur les épaules de Gilles, excursions de découvertes, arrêts pour l'émerveillement devant un champignon ou une cascade endiablée, glissades vertigineuses, feux de camp en plein hiver, collations à la tire d'érable sur la neige, marches sous la pluie avec une branche de sapin comme protection, promenades en forêt avec costumes de fantômes ou de sorcières à l'occasion de l'Halloween...

Très tôt, vous avez sensibilisé vos enfants au plaisir de la lecture. Les temps de lecture sont devenus des temps de partage, d'écoute, d'exploration et de bonheur. Et vous favorisez depuis toujours les jeux éducatifs et les jeux de société auxquels vous participez volontiers. La parenté et les amis sont gentiment conviés à s'y joindre.

Vous maintenez des liens vivants avec les membres de vos familles. Vous les accueillez ou vous les retrouvez régulièrement pour fêter dans la joie Noël ou le Jour de l'An. Vous visitez volontiers vos parents, vos tantes, les nièces dont vous êtes parrain et marraine. Vous partagez la garde des enfants avec les grands-parents, avec vos frères et sœurs. Vous faites volontiers le trajet Saint-Jérôme/Rivière-du-Loup pour rencontrer la famille d'Édith et spécialement pour être présents à sa mère fragile de santé. Vous en profitez pour vivre des vacances «au bord de la mer».

Votre relation chaleureuse avec vos familles est tissée d'attention, de créativité, de surprises et d'originalité. Une année, vous avez offert du temps à la parenté comme cadeau de Noël: vous vous rendiez disponibles pour corder du bois, faire le gazon, cuisiner un repas, organiser une réception, etc. J'en connais — dont moi-même — qui en ont joyeusement profité.

Vous entretenez avec une cordialité spontanée un large réseau d'amitiés. J'en fais partie, j'en suis heureux et je vous en remercie. Vous entretenez vos amitiés par votre présence attentive et respectueuse, par l'invention de surprises, par votre humour libérateur, par votre sens de la fête qui éclate en invitations, en visites improvisées, en cadeaux personnalisés et originaux. Et cette culture de l'amitié, vous l'inculquez à vos enfants en ouvrant votre maison à leurs amis, en allant volontiers les conduire chez leurs copains et copines, en les intégrant aux célébrations d'anniversaires avec vos amis adultes.

Le travail de Gilles en service social sensibilise toute la maisonnée à des problèmes vécus par des hommes et des femmes de votre milieu: pauvreté, toxicomanie, chômage, alcoolisme, et à leurs répercussions dans la vie des individus, des familles et de la collectivité. Et cette conscience sociale, vous la maintenez en toutes situations. Quand une infirmière a commis une erreur lors d'une hospitalisation de Jean-Gabriel, Édith a rapidement corrigé la bévue, et Gilles a averti la responsable «afin d'éviter un accident grave à d'autres enfants». Vous posez de bon cœur, souvent avec la participation des enfants, des gestes de service et d'entraide envers des voisins, des personnes en difficulté, des amis ou des membres de la parenté.

Vous tenez à vivre les étapes importantes de votre vie familiale en conformité avec vos convictions spirituelles. Vous avez fait les démarches nécessaires pour pouvoir vivre dans une cérémonie unique votre mariage et le baptême de Jean-Gabriel. Vous avez heureusement trouvé à Rivière-du-Loup un prêtre accueillant et dynamique qui vous a accompagnés dans votre préparation et qui a animé la cérémonie avec une grande attention aux personnes, avec une rare sensibilité spirituelle, dans l'allégresse de la foi, tout en suscitant la participation joyeuse de la parenté et des amis.

Dans votre vie spirituelle, vous manifestez la même authenticité que dans les autres dimensions de votre cheminement. Lors d'une rencontre préparatoire à la confirmation de Marie-Pierre, Gilles n'a pas hésité à se retirer du groupe parce qu'il ne pouvait tolérer l'enseignement vieillot qui s'y donnait. Il a vite trouvé dans une autre paroisse une catéchèse plus actuelle et plus personnalisée. Et lorsque l'occasion se présente, vous incitez vos enfants à s'impliquer dans une activité religieuse, telle la présentation d'une crèche vivante à l'église de votre paroisse.

Édith, Gilles, Marie-Pierre, Andrée-Anne, Jean-Gabriel, j'admire votre avancée dans le bonheur à travers les duretés du chemin. Vous êtes de belles étoiles qui témoignent d'une vérité d'espérance: le bonheur individuel et familial est possible aujourd'hui. Merci.

Amicalement,

Yvon

DÉSORMAIS

Je ne veux plus marcher *vers* le bonheur.
Je ne veux plus attendre d'accoster sur l'autre rive pour jouir des enchantements du voyage.
Je ne veux plus attendre de fouler le sommet de la montagne pour m'émerveiller des paysages offerts.
Je ne veux plus attendre la fin de ma randonnée en forêt pour savourer les douceurs de l'évasion et de la détente.
Désormais, je veux marcher *dans* le bonheur.
Je veux *grandir, aimer* et *rencontrer Dieu* dans chacune des heures de mes jours.

Je veux *grandir*

Je veux saisir tous les possibles de ma personnalité et les développer dans l'harmonie.
Je veux ragaillardir ma santé et faire de mon corps un vaillant collaborateur de mon cœur et de mon âme.
Je veux lancer les dynamismes de mes émotions et de mes passions à la poursuite de ma croissance intégrale.
Je veux épanouir ma sensibilité en m'offrant la fête de l'émerveillement devant la splendeur des plus humbles choses: un fruit, une herbe, une pierre.
Je veux faire gicler en œuvres jolies et donneuses de joie mes talents de créateur.

Je veux féconder mon intelligence par la lecture stimulante, la réflexion lente et le partage qui suscitent le questionnement.

Je veux me faire plus libre, c'est-à-dire plus conscient de toute réalité et plus apte à faire des choix qui humanisent.

Je veux que le Créateur, en regardant mon chemin de croissance, puisse s'écrier: «C'est beau!»

Je veux *aimer*

Je veux vivre une communication qui différencie, qui donne à chacun de délivrer ses élans les plus vrais, les plus humains.

Je veux vivre des liens intenses et vibrants qui unissent les personnes par les fibres les plus intimes de leur âme et de leur cœur, tout en respectant leur ultime secret.

Je veux vivre une amitié ardente et détachée, qui réchauffe les cœurs et garde les âmes en liberté.

Je veux vivre une fraternité sans barrières, libre de préjugés et de préventions, ouverte à toutes les différences.

Je veux vivre une solidarité lucide et cordiale avec toutes les misères, toutes les fragilités, toutes les blessures.

Je veux élargir mon affection à toute la Création, à la lumière qui danse dans le bouleau blanc, au chevreuil qui fuit en bonds effrayés et gracieux, à la mère qui prépare le repas du soir pour ses enfants, aux personnes engagées dans un organisme communautaire.

Je veux vivre une charité aux mains vigilantes et disponibles, qui éclate spontanément en gestes de générosité et d'entraide.

Je veux vivre l'actualisation de la bienveillance de Dieu dans l'ordinaire de mon quotidien: écrire une lettre, ouvrir une porte, féliciter, préparer la table pour la fête.

Je veux vivre un amour au regard vif qui saisit l'invisible, qui perçoit la bonté du Créateur dans l'intimité des choses et des personnes.

Je veux *rencontrer Dieu*

Je veux reconnaître dans la clarté de ma conscience et de ma liberté ma dépendance de Dieu, source ultime de vie et de sens.

Je veux écouter la Parole sacrée comme l'on écoute la voix lente et douce d'une amie qui partage des secrets de délivrance et d'avenir.

Je veux me laisser fasciner par la personne de Jésus et son enseignement libérateur.

Je veux prier, vivre l'attention du cœur à la Présence amoureuse qui anime les profondeurs de mon être, et parfois je lui exprimerai, seul ou avec d'autres, des paroles de merci et d'imploration.

Je veux contempler, développer l'acuité du regard qui perçoit en filigrane le Visage de Dieu dans l'orchidée en beauté, dans la tendresse d'une main, dans un geste de compassion, dans un regard de pardon.

Je veux m'associer, par mes créations littéraires et artistiques, par mes efforts pour enjoliver la Nature, à mon Créateur, qui a voulu avoir besoin de moi pour parachever son œuvre.

Je veux participer à l'avancée du Royaume de Dieu en semant dans mes jours des services gratuits, des colères contre l'injustice, des pardons miséricordieux, des collaborations solidaires.

Je veux livrer mes temps de prière et de dévouement à la bonté de Dieu pour qu'il les transpose en actes de salut, de Rédemption.

Oui, je veux désormais marcher *dans* le bonheur!

Yvon Poitras

POUR VOTRE RÉFLEXION

DANSER SA VIE

S'il y a beaucoup de saintes gens qui n'aiment pas danser,
il y a eu beaucoup de saints qui ont eu besoin de danser,
tant ils étaient heureux de vivre:
sainte Thérèse avec ses castagnettes,
saint Jean de la Croix avec un Enfant Jésus dans les bras,
et saint François, devant le pape.

Si nous étions contents de vous, Seigneur,
nous ne pourrions pas résister
à ce besoin de danser qui déferle sur le monde,
et nous arriverions à deviner
quelle danse il vous plaît de nous faire danser
en épousant les pas de votre Providence.

Un jour où vous aviez un peu envie d'autre chose,
vous avez inventé saint François,
et vous en avez fait votre jongleur.
À nous de nous laisser inventer
pour être des gens joyeux qui dansent leur vie avec vous.

Faites-nous vivre notre vie,
non comme un jeu d'échecs où tout est calculé,
non comme un match où tout est difficile,
non comme un théorème qui nous casse la tête,
mais comme une fête sans fin où votre rencontre se renouvelle,
comme un bal, comme une danse,
entre les bras de votre grâce,
dans la musique universelle de l'amour.
Seigneur, venez nous inviter[1].

Madeleine Delbrêl

---

[1] VERNETTE, Jean et MONCELON, Claire, *Paraboles de bonheur,* Paris, Bayard/ Centurion, 1996, p. 155.

9
UNE PAROLE POUR LA PAIX

PLAIDOYER POUR LA PAIX

La dernière décennie du XXe siècle et la première du XXIe se caractérisent par une intense militarisation sur plusieurs points chauds du globe. Certaines régions sont toujours névralgiques: l'Irak, l'Afghanistan, la Tchétchénie, quelques pays de l'Afrique de l'Ouest, le Proche-Orient, etc. Chaque sursaut de violence qui surgit de ces conflits nous insécurise davantage. Nous avons le sentiment que nous ne pouvons pas faire grand-chose pour y remédier. Ce que nous recherchons tous comme le bien le plus précieux à atteindre, c'est la paix du cœur. Pas cette paix qui est celle d'un cocon où tout est immobile. Où nous sommes déchargés du fardeau de l'existence, dans une sorte d'insouciance presque enfantine. Non, notre existence est trop menacée depuis un certain 11 septembre 2001 pour que nous nous installions dans un bonheur béat. Le terrorisme constitue toujours un redoutable danger; aucun pays, aucune population n'est à l'abri désormais.

Défense et détente

Je lisais récemment un texte sur la nécessaire démilitarisation à effectuer pour que s'établisse la paix dans le monde. On y parlait, entre autres choses, de *défense* et de *détente* entre les peuples. Se pourrait-il aussi qu'une seule consonne fasse toute la différence dans les attitudes existentielles que nous adoptons pour la gouverne de notre vie? Nous *défendre* évoquant l'arène de nos combats et de nos enjeux quotidiens, et nous *détendre* étant le porche qui ouvre le cœur à la véritable paix en nous. Ne serait-ce pas là le nœud de cette paix tant recherchée et si peu durable, tant sur le plan individuel que sur le plan collectif, vécue localement comme planétairement?

Dans notre quête de paix, quelle attitude sommes-nous le plus enclins à choisir, celle de la défense ou de la détente? Vous me direz sans doute que c'est une question de tempérament ou de caractère… voire même de parti pris ou d'option à privilégier selon les nécessités de l'heure. Quelle sorte de «faiseurs de paix» sommes-nous?

Nous défendre

Dans le cours de notre vie, nous avons tant de choses à défendre, parce que nous nous sentons souvent attaqués par toutes sortes d'adversaires, et aussi parce que nous sommes attachés à tellement de possessions: à des choses, à des idées, à des personnes, et surtout à certaines représentations que nous nous faisons de nous-mêmes. «La grâce, c'est de s'oublier», disait Bernanos. Nous pourrions le dire de la paix également.

Examinons les obstacles intérieurs et extérieurs que nous devons franchir tout au long de notre existence et qui rendent difficile l'émergence ou la permanence de la paix en nous. Notre vie est souvent le théâtre de rapports médiocres, avec nous-mêmes, avec autrui, avec Dieu. Nous nous étiolons dans une existence fade et nous sommes parfois fatigués de demander une paix introuvable. Le mal érode les parois de notre être.

Ô illusion des yeux qui se ferment pour ne pas voir…
Ô illusion des oreilles qui se bouchent
pour ne pas entendre…
Ô illusion des mains qui s'agrippent pour ne pas partager…
Ô illusion des pieds qui s'égarent pour éviter
la rencontre libératrice…
Ô illusion du cœur qui se durcit pour ne pas comprendre…

Nous trouvons tant de raisons de nous défendre. Nous subissons des agressions de tous genres au travail, dans la rue, à la maison.

Chacun de nous vit son lot quotidien de soucis, de frustrations, de peines, d'incompréhensions, de désarrois certains jours. Nous réagissons si mal devant quelqu'un qui manifeste une nervosité excessive qui nous agace, une agressivité ouverte qui perdure, voire un égoïsme qui vient gruger et mobiliser nos meilleures énergies.

Le poète français René Char écrivait jadis un petit recueil de poèmes qui s'intitule: *À une sérénité crispée*. Nous devinons bien ce que ces mots laissent pressentir de rigidité, d'amertume, d'inachèvement. Combien de visages reflètent cette sérénité crispée! Nous savons aussi, par expérience, que la crispation rend le chemin intérieur difficile et menace la communication harmonieuse avec autrui.

Comment garder la paix dans la diversité chaotique de notre vie et la pesanteur d'un environnement qui nous apparaît plus aliénant que vivable certains jours? Comment agir pour sauvegarder la paix si souvent menacée? Que faire pour rétablir la paix en nous alors que nous sommes bien conscients que nous avons tort, que nos comportements ne sont pas toujours évangéliques? Devenir plus humbles et faire les premiers pas? Souvent, nous réclamons le pardon que nous ne savons pas donner nous-mêmes.

L'esquive est le plus souvent une fausse solution. Mais ne nous arrive-t-il pas de nous évader dans les cieux, demandant au Seigneur de nous délivrer du mal qui nous empoisonne, alors que nous sommes les agents de notre malheur? Nous attendons tout de lui, alors qu'il suffirait d'un peu de lucidité sur nous-mêmes et de courage pour régler le conflit à sa source. García Lorca a écrit: «Le ciel a des plages où l'on peut éviter la vie.» Dans notre recours à Dieu, nous ne devons pas être dupes: nous n'y rencontrons souvent que nous-mêmes. Sinon, notre vie changerait. La fuite ne peut pas à elle seule construire la paix et la réconciliation. Il faut revenir sur terre, chercher le terrain propice à la libération, à la détente.

Nous détendre

Pour accéder à la paix, il nous faut emprunter les passerelles de la détente. J'aime l'image de la passerelle, car elle évoque la fluidité d'un passage, sa légèreté et sa fragilité. La passerelle anticipe ou prolonge le pont. Parfois, elle le remplace. Elle s'inscrit modestement dans la continuité d'un paysage en permettant l'aisance d'un franchissement. Elle favorise la vue panoramique, l'ouverture sur le ciel et sur la géographie du lieu. Elle permet un temps d'arrêt, de relaxation, de délassement, de repos. Il en est ainsi de la détente.

Entrer en relation avec les autres, c'est jeter une passerelle entre des rives, la bienfaisante passerelle de la communication, celle du dialogue à entreprendre ou à poursuivre, celle de la conversation plus familière à alimenter, celle de la communion à privilégier dans l'espace de l'intimité. Pour que naisse la paix en nous, peut-être nous faut-il réapprendre à vivre et réinvestir un souffle nouveau dans nos relations, de même que nous devons redécouvrir nos espaces familiers pour en faire des lieux habitables.

Si nous consentions véritablement à emprunter les passerelles de la détente dans nos rapports quotidiens comme dans les grands moments de lutte de notre existence, combien notre vie changerait! La détente physique qui favorise la décontraction de nos muscles, la relâche des tensions, le répit dans le travail, le délassement qui amuse, la pause qui soulage ou repose. La détente morale qui est ouverture fraternelle à tout sourire, tout regard, tout geste, afin que les mots retrouvent leur vertu de communiquer parce que le cœur a retrouvé les premiers balbutiements de la paix. La simple détente peut parfois produire des miracles… il faut y croire!

La paix en soi est souvent une paix «recomposée», une paix qui assume ses tâches, ses efforts, ses fatigues, qui cueille ses gains, ses accomplissements, une paix faite de lucidité sur soi, ce qui est très différent du refus de se heurter, de se confronter. On parlerait plutôt de l'art de se réconcilier avec toutes les dissonances de son existence.

L'auteur québécois Denis Pelletier a créé une très belle image à ce sujet, et il en a fait le titre d'un livre qui mérite d'être lu et relu. Il s'agit de *L'Arc-en-soi*[1], qui désigne le phénomène de la

---

[1] PELLETIER, Denis, *L'Arc-en-soi, essai sur les sentiments de privation et de plénitude*, Montréal, Stanké, 1981.

réconciliation avec soi et avec son passé, et qui démontre que la vie est promise à une surabondance intérieure.

L'apaisement se trouve dans les gestes les plus simples. Nous connaissons tous de ces personnes dont la seule présence parmi nous permet de respirer à une haute altitude, favorise la détente de tout l'être, invite à donner le meilleur de nous-mêmes. Avec elles, nous pouvons nous exprimer en toute vérité. «Là où tu es, je puis vivre», serions-nous portés à dire, parce qu'émane d'elles cette paix intérieure, cet accord profond vécu dans le calme et la sérénité. Parce que la paix ressentie est celle qui nous invite à la joie de l'abandon.

La première exigence demeure de nous aimer nous-mêmes, dans la reconnaissance de nos limites, mais aussi dans l'acceptation des dons reçus de la vie. Et comme le dit une certaine maxime agricole: il faut tailler la vigne pour améliorer la grappe. Nous avons sans cesse à nous «remettre dans une condition spirituellement native» comme l'exprime l'essayiste Pierre Vadeboncœur[2]. Le corps, l'esprit et l'âme mobilisés pour plus de vie.

Les pacifiques et les artisans de paix

Plusieurs sont parvenus à la paix par les passerelles de la détente. Ils sont des *pacifiques*. Ils sont d'un naturel paisible. Ils vivent en bons termes avec tout le monde. Ils n'aiment pas les conflits, les histoires, les intrigues. Ils optent pour la détente avant tout. Ils peuvent être des *pacifistes*, des non-violents, des antimilitaristes, des antinucléaires. Ils sont alors plus ou moins bien perçus malgré la pertinence de leur croisade. Ils peuvent aussi être des *pacificateurs* qui vont imposer la paix à des populations, à des groupes. Ils ont alors rarement bonne presse: leur praxis sent trop la lutte armée ou l'idéologie dominante.

Et il y a les artisans de paix: ceux que proclame la septième béatitude énoncée par un certain Jésus de Nazareth et rapportée

---

[2] Vadeboncœur, Pierre, *Les deux royaumes,* Montréal, éd. de l'Hexagone, 1979, p. 54.

par l'évangéliste Matthieu. Ils savent d'abord intérioriser leurs propres pulsions agressives, les transmuant en énergies créatrices pour ensuite les déployer au service des autres. Les authentiques faiseurs de paix inventent des stratégies de réconciliation et non d'exclusion des personnes. Ils résistent à toute forme de compromis et de violence. Ils invoquent la miséricorde qui renverse les obstacles et réunit les différences. Ils invitent à la joie du pardon, du partage et de la communion. «Heureux les artisans de paix, car ils seront appelés fils de Dieu.» (Mt 5, 9)

Grâce et tâche

Il nous faut bien reconnaître que la véritable paix est don de Dieu. Elle a été promise dès ici-bas aux hommes de bonne volonté (Lc 2, 14). Au soir de sa résurrection, Jésus adressa le même message de paix à ses disciples: «La paix soit avec vous!» (Jn 20, 19-21), qu'il réitéra à Thomas huit jours après. Vingt siècles plus tard, ces mots nous sont toujours adressés. Car la paix, il faut sans cesse la demander dans une prière ardente, mais elle ne se fait pas sans nous.

La paix du cœur est *grâce et tâche*: *grâce* parce qu'elle reflète l'harmonie d'un cœur réconcilié, l'image de bonheur et de détente qui en découle; et *tâche*, parce qu'elle requiert un effort concret, des luttes précises, adaptées, une recherche de solutions effectives. Elle s'enracine dans le temps et ne se fait pas sans lui. La paix en nous-mêmes est «arbre long à bâtir», écrivait Saint-Exupéry dans *Citadelle*. Il ne faut pas nous étonner de devoir y mettre le prix en efforts et en générosité. «Dieu nous a appelés à vivre dans la paix», écrivait Paul de Tarse (1 Co 7, 15). Cet appel est toujours actuel.

Semer les «cailloux blancs» de la paix

Pour faire jaillir en soi la paix, il faut l'étincelle, la flamme. Il dépend de nous que la lumière soit clarté diffuse ou vive, que la flamme soit chaleur latente ou intense. La vie ne s'attarde pas sur l'hier, sur l'hiver. La paix intérieure est semence, bourgeon, fleur et fruit. «Et les fruits dépassent toujours la promesse des fleurs.» Nos gestes, nos paroles et nos actes sont aussi promesses de fécondité. Il faut, comme le petit Poucet, semer les «cailloux blancs» de la paix qui sont autant de gestes de paix à traduire concrètement, sur le chemin ouvert de notre vie.

Denise Lever

TÉMOINS

FEMMES DE PAIX

Le prix Nobel de la paix récompense «la personnalité ayant le plus ou le mieux contribué au rapprochement des peuples, à la suppression ou à la réduction des armées permanentes, à la réunion et à la propagation des progrès pour la paix». Depuis plus d'un siècle, des institutions et des hommes (près d'une centaine) ont été récompensés de l'insigne distinction, mais seulement onze femmes ont reçu ce prix prestigieux. Pourtant, il existe de par le monde des milliers de femmes qui ont mené et mènent encore le long combat en faveur de la paix. Celles qui ont été gratifiées de ce prix se retrouvent sur presque tous les continents et illustrent davantage la seconde moitié du XXe siècle. Le XXIe semble plus prometteur: déjà les années 2003 et 2004 ont proclamé des titulaires féminins dans l'octroi de cet honneur.

Je veux faire mémoire de ces onze femmes qui ont œuvré pour la paix de manière significative. Chacune surgit d'un paysage défini, possède un visage bien particulier, un vécu parfois héroïque, bref, une histoire édifiante qui appelle notre admiration. Elles deviennent des modèles qui inspirent les générations de toutes races et de tous pays. En suivant l'ordre chronologique de la remise du prix, je veux honorer toutes ces femmes de paix qui auréolent notre civilisation et contribuent à rendre le monde meilleur.

Bertha von Suttner (1905). Cette comtesse autrichienne naît à Prague en 1843. Elle est la première femme à recevoir ce prix qu'elle a incité à créer. Elle est une grande amie et une secrétaire dévouée d'Alfred Nobel. Elle écrit beaucoup sur le thème de la paix. En 1889, elle publie un roman intitulé *Die Waffen nieder (Bas les armes!)* qui démontre le caractère néfaste de la guerre à travers les sentiments de son héroïne. Il circule dans tous les milieux et consacre surtout sa réputation de pacifiste. En 1891, elle fonde à Vienne la Société autrichienne des amis de la paix. Elle s'engage dans la lutte contre l'antisémitisme. En 1899, elle participe activement aux Conférences de La Haye qui mettent l'accent sur le désarmement et la prévention de la guerre.

Je vous rends hommage, Bertha von Suttner, car vous avez ouvert pour l'humanité un chemin de liberté en créant des associations et des mécanismes pour promouvoir la paix dans le monde.

Jane Addams (1931). Elle est la première femme américaine à remporter ce prix en même temps que Nicholas Murray Butler, grand défenseur des Conférences de La Haye. Elle naît en 1860 en Illinois. Elle travaille à la réforme du droit du travail, fonde la National Association for the Advancement of Coloured People. Militante acharnée, elle mène de front une campagne en faveur de la paix dans le monde, en donnant des conférences sur la nécessité de la paix pour la sauvegarde de l'humanité. On retient d'elle sa grande implication dans le domaine de l'éducation, de la prévention médicale et de la santé et pour l'amélioration des conditions de travail et d'éducation des femmes.

Je vous rends hommage, Jane Addams, car vous n'avez pas eu peur de vous présenter devant les gouvernants de ce monde pour faire triompher les principes de la paix dans le pacte de la Société des nations.

Emily Greene Balch (1946). Elle naît à Boston en 1867. Elle reçoit le prix Nobel, conjointement avec J.R. Mott, défenseur des droits en matière de religion et père fondateur du Conseil mondial des Églises. Militante infatigable des droits de l'homme et du pacifisme, elle participe activement à la création du Syndicat des femmes américaines. Elle travaille pour l'obtention du suffrage universel, de l'égalité des races et contre le travail des enfants.

Je vous rends hommage, Emily Greene Balch, car vous vous êtes dépensée sans compter pour faire reconnaître la dignité des êtres humains, quels que soient leur race, leur religion, leur âge, leur statut civil.

Betty Williams (1976) — catholique — naît à Dublin en 1943, et **Maired Corrigan (1976)** — protestante — naît à Belfast en 1944. Elles obtiennent conjointement le prix Nobel de la paix. Militantes pacifistes d'Irlande du Nord, elles fondent le Mouvement des femmes pour la paix d'Irlande du Nord. En août 1966, à la suite d'un affrontement entre les membres de l'IRA (Irish Republican Army) et la police, où trois enfants sont tués, Williams et Corrigan organisent un vaste mouvement qui réunit plus de 30 000 femmes des deux confessions. Elles veulent la fin de la ségrégation religieuse et de la ghettoïsation.

Je vous rends hommage, Betty Williams et Maired Corrigan, car, dans un pays si divisé par les guerres de religion, vous avez su rallier autour d'une même vision des milliers de femmes afin de mettre un terme à toutes les formes de violence que ces luttes fratricides engendrent.

Mère Teresa (1979). Certainement l'une des figures les plus marquantes du XXe siècle. On l'appelle la «sainte des Bas-Fonds». Agnes Gonxha Bojaxhieu naît à Skopjie en Yougoslavie de parents albanais en 1910. Très jeune, elle se destine à la vie religieuse et devient missionnaire au Bengale puis en Inde. Elle change son nom en celui de Teresa. Frappée par la misère extrême des bidonvilles de Calcutta, Mère Teresa décide de leur consacrer sa vie. Elle prend la nationalité indienne, quitte son couvent pour se mettre au service des plus pauvres parmi les pauvres et fonde la congrégation des Missionnaires de la Charité. À sa mort en 1997, on compte plus de 300 communautés réparties dans 76 pays. Le pape Jean-Paul II la béatifie en octobre 2003.

Je vous rends hommage, Mère Teresa, car vous avez incarné, tout au long de votre vie, les exigences les plus radicales de l'Évangile. Vous êtes un phare lumineux qui irradie l'amour de Dieu et du prochain dans notre monde à jamais.

Alva Myrdal (1982). Elle naît en 1902, à Uppsala en Suède. Le prix Nobel lui est attribué pour son travail en faveur du désarmement durant la Guerre froide (1946-1991) entre les États-Unis et l'U.R.S.S. Elle est la première femme à diriger le ministère des Affaires sociales au secrétariat de l'O.N.U. Elle est l'auteur de plusieurs livres et d'articles, principalement *Le Jeu du désarmement*. Elle contribue à l'établissement de l'Institut international de recherches de la paix à Stockholm (SIPRI).

Je vous rends hommage, Alva Myrdal, car vous avez été l'apôtre infatigable du désarmement par votre action éclairée auprès des deux superpuissances qui menaçaient de faire sauter la planète dans la seconde moitié du XXᵉ siècle.

Aung San Suu Kyi (1991). Elle naît en 1945 dans la ville de Rangoon (Birmanie ou Myanmar). Elle est la fille du général Aung San, leader de la libération, assassiné en 1947. Après quelques années passées à l'étranger, elle revient au Myanmar en 1988 et reprend le flambeau. Elle rejoint le mouvement de la National League for Democracy (BDL) et en devient le chef. Elle défie la dictature militaire, gagne une élection parlementaire, mais on refuse d'en reconnaître les résultats et elle est placée désormais en résidence surveillée. Elle continue à se battre pour la démocratie et la liberté en son pays. Rien ne parviendra à tarir la détermination de celle qu'on appelle désormais la «Dame de Rangoon».

Je vous rends hommage, Aung San Suu Kyi, car vous êtes la figure emblématique de la démocratie et de la non-violence, dont le nom est désormais lié au processus de démocratisation des nations dominées par des gouvernements totalitaires.

Rigoberta Menchú Tum (1992). Elle naît à Chimel au Guatemala en 1959. L'assassinat de ses parents qui réclamaient plus de justice pour les petits paysans indiens de ce pays détermine son combat pour la défense des plus faibles. Femme autodidacte, elle sait cependant attirer rapidement l'attention de l'opinion internationale sur les souffrances des peuples indigènes par la publication de sa biographie intitulée *Moi, Rigoberta Menchú, une femme indienne au Guatemala*. À 33 ans, elle devient la plus jeune lauréate du prix Nobel de la paix, en cette année qui marque les 500 ans de la conquête de l'Amérique. Elle a déjà reçu le prix U.N.E.S.C.O. pour *L'éducation de la Paix* en 1990.

Je vous rends hommage, Rigoberta Menchú Tum, car vous avez su mener le combat héroïque pour la défense des Indiens et des Latinos du continent américain, qui souffrent d'oppression et de discrimination depuis des siècles.

Jody Williams (1997). Elle naît à Putney, dans le Vermont, en 1950. Après de brillantes études dans plusieurs universités, elle milite contre la politique interventionniste des États-Unis en Amérique centrale. En 1992, elle réunit une coalition d'ONG et lance la Campagne internationale pour l'interdiction des mines terrestres, mouvement qui recevra, quelques années plus tard, conjointement avec elle, ce Nobel de la paix. Les mines antipersonnel sont de véritables déchets de guerre qui sèment tant de tragédies humaines, surtout chez les enfants; elles sont une autre forme de guerre après la guerre.

Je vous rends hommage, Jody Williams, car vous tentez sans cesse de rallier le plus de pays à signer la Convention sur l'interdiction de l'usage, du stockage, de la production, du transfert des mines antipersonnel et sur leur destruction.

Shirin Ebadi (2003). Cette militante iranienne naît à Hamadan en 1947; elle est la première musulmane à recevoir cette prestigieuse distinction pour ses efforts en faveur de la démocratie et des droits de l'homme. Elle est la première femme juge dans son pays en 1974 sous le règne du Chah. Elle doit quitter son poste après la révolution islamique de 1979. En 1998 et 1999, elle enquête sur une série de meurtres d'intellectuels et d'opposants. En 2000, on l'emprisonne durant 22 jours sous l'accusation d'avoir troublé l'opinion publique en enregistrant et en diffusant les «confessions des personnes emprisonnées». En 2004, elle accepte notamment de défendre la famille de la journaliste irano-canadienne Zahra Kazemi, morte d'hémorragie cérébrale en prison en Iran après avoir reçu un coup à la tête.

Je vous rends hommage, Shirin Ebadi, pour votre courage et votre opiniâtreté, car, en dépit des menaces réelles dont vous faites souvent l'objet, vous n'avez pas peur de défier la justice ultraconservatrice de votre pays lorsque les droits humains sont bafoués.

Wangari Maathai (2004). Elle est la première Africaine de l'histoire à être honorée de cette distinction. Elle naît au Kenya en 1940. Cette militante écologiste obtient ce prix pour sa contribution en faveur du développement durable, de la démocratie et de la paix. «L'environnement et les ressources naturelles sont un aspect important de la paix, rappelle-t-elle, parce que, lorsqu'on détruit nos ressources, lorsque nos ressources se raréfient, nous nous battons pour nous les approprier. En protégeant l'environnement, nous améliorons aussi la façon de gouverner.» Ministre adjointe à l'Environnement, aux Ressources naturelles et à la Faune sauvage du gouvernement kenyan, elle pilote le plus grand projet de reboisement d'Afrique, le Green Belt Movement (GBM) depuis sa création en 1977.

Je vous rends hommage, Wangari Maathai, pour votre engagement plénier en écologie, car en préconisant la reforestation de votre pays, vous contribuez, par le fait même, à donner du travail à des milliers de personnes, dont beaucoup de femmes, dans les pépinières du mouvement. Vos méthodes font école en Tanzanie, en Ouganda, au Malawi, au Lesotho, en Éthiopie et au Zimbabwe.

Bienheureuses êtes-vous, femmes de paix, car vous êtes déjà appelées filles de Dieu. La septième béatitude du Maître vous a rejointes en plein cœur, et vous avez consenti généreusement à offrir votre vie pour le triomphe de la justice, de la paix, de la liberté et de la fraternité. Vous affirmez: «On est tous citoyens d'un même monde.»

Denise Lever

GUERRE ET PAIX

Guerre

Si l'on en croit le mythe ancien, dans la boîte de Pandore s'agitaient tous les mots de la guerre: altercation, attaque, blocage, bruit, clameur, coalition, conflit, confrontation, contestation, controverse, crime, défense, démêlé, désordre, destruction, différend, discorde, dispute, dissension, dissentiment, excitation, fureur, impatience, mésentente, perturbation, querelle, révolution, tempête, turbulence, violence.

Un jour, quelqu'un a eu le malheur de l'ouvrir, ces mots se sont entrechoqués, et dès la moindre étincelle, le mal s'est répandu comme une traînée de poudre et a semé ses ravages dans le cœur des hommes. Ils sont devenus agités, agressifs, belliqueux, bruyants, déchaînés, désaxés, désordonnés, exaspérés, excités, furieux, irrités, sanguinaires, tourmentés, troublés, violents et meurtriers.

Et paix

Un jour, un grand prophète nommé Jésus est passé sur la terre des hommes, et il a dit: «Je vous laisse la paix, je vous donne ma paix.» (Jn 14, 27) C'est à vous, désormais, de la faire naître, de la faire grandir, de la protéger, de la défendre et de la restaurer lorsqu'elle est menacée, niée, bafouée, anéantie.

Et depuis lors, l'humanité ne cesse de la demander, de l'implorer, de l'offrir, de l'accepter, de la refuser, de l'accorder, de la souhaiter, de la désirer, de la trouver, de la perdre, de la menacer, de la conclure, de la signer, de la maintenir, de l'assurer, de la cimenter, de la sceller, de la sauvegarder, de la troubler, de la rompre, de la négocier, de la dicter, de la ratifier, de la rétablir, de jouir d'elle, de se reposer en elle, de mourir pour elle.

Ô paix! Qu'es-tu donc pour nous fasciner ainsi?

Tu es *l'entente*, la bonne intelligence entre les personnes.

Tu es *la concorde*, c'est-à-dire l'union des volontés et des cœurs.

Tu es *l'indulgence* qui excuse tout, qui pardonne tout.

Tu es *le calme et le repos* après la tempête.

Tu fais régner *l'ordre* dans les cités.

Tu es *la voie royale de la réconciliation* entre les personnes, les partis et les nations.

Tu invites au *désarmement* pour la survie de l'humanité.

Tu es *l'alliance* qui scelle l'engagement mutuel des individus et des peuples.

Tu es *la quiétude*, cette vertu mystique de l'âme.

Tu es le baume de *la douceur*, le porche de l'amour délicat et attentif.

Tu es *l'harmonie* qui charme comme une musique.

Tu deviens *silence* dans l'espace de la contemplation.

Tu te nommes *sérénité* dans les ultimes passages de la vie.

Tu es *la béatitude*, *la félicité* et *le repos éternel* pour les siècles des siècles.

Seigneur, fais de moi un artisan de paix!

Denise Lever

POUR VOTRE MÉDITATION

Nous plantons les graines de la paix, maintenant et pour le futur. (Mangari Maathai)

* * *

Insistons sur le développement de l'amour, la gentillesse, la compréhension, la paix. Le reste nous sera offert. (Mère Teresa)

* * *

«Œil pour œil» finit par rendre aveugle le monde entier. (Mahatma Gandhi)

* * *

Seigneur, accordez-moi cette foi qui ne craint ni les dangers, ni la douleur, ni la mort, qui sait marcher dans la vie avec calme, paix et joie profonde, et qui établit l'âme dans un détachement absolu de tout ce qui n'est pas vous. (Charles de Foucauld)

* * *

Chaque canon fabriqué, chaque navire de guerre mis à flot, chaque fusée lancée représente en dernière analyse un vol commis au préjudice de ceux qui ont faim et ne sont pas nourris, de ceux qui ont froid et ne sont pas vêtus. Ce monde ne gaspille pas seulement de l'argent pour les armes. Il gaspille aussi la sueur de ses travailleurs, le génie de ses savants, l'espoir de ses enfants. (Dwight D. Eisenhower)

* * *

Que je me lève et je parte, car nuit et jour
j'entends clapoter l'eau paisible contre la rive.
Vais-je sur la grand-route ou le pavé incolore,
je l'entends dans l'âme du cœur. (William Butler Yeats)

* * *

Tant que de l'autre en tant qu'autre n'aura pas été de quelque façon «accueilli» dans l'épiphanie, dans le retrait ou la visitation de son visage, il ne saurait y avoir de sens à parler de paix. (Jacques Derrida)

* * *

La véritable paix suppose un courage qui dépasse celui de la guerre: elle est activité créatrice, énergie spirituelle. (Ernst Jünger)

* * *

Ce qu'il faut chercher et trouver c'est la douceur sereine d'une inébranlable paix. (Alexandra David-Neel)

CONCLUSION

UNE PAROLE HUMAINE
QUI SE TOURNE VERS DIEU

Seigneur Dieu,
Toi qui nous invites à laisser aller nos certitudes, nos assurances,
nos préjugés,
ouvre notre esprit à Ta Vérité.
Permets-nous d'avancer sur un chemin sans cesse renouvelé par
Toi.

Toi le Dieu de la Relation, viens habiter chacune de nos *rencontres* afin qu'elles nous propulsent en avant, transforment nos êtres
et nous remplissent de joie.

Tu suscites en nos cœurs une parole empreinte *d'espérance*,
viens illuminer notre vie intérieure et lui redonner souffle
afin que nous puissions croire en ta Présence dans l'aujourd'hui de
nos vies.

Seigneur Dieu,
l'écoute de ta Parole libère en nous un espace pour la *gratuité*,
fais de nous des chrétiens éveillés à l'accueil de l'autre dans sa
différence,
animés par la joie du partage, et fidèles à faire de notre vie une
offrande d'amour.

Toi dont le Souffle inspire la *paix*,
fais surgir dans notre monde un climat propice au pardon,
à la réconciliation et à la communion entre tous.

Toi qui engendres tout geste de *solidarité*, ouvre nos yeux à la réalité humaine.
Fais que nous ne soyons jamais indifférents à la détresse de nos frères et sœurs,
à leur misère, à leur pauvreté.

Seigneur Dieu,
Toi dont la Parole de Vie fait naître à *l'engagement*,
rappelle-nous que les véritables solutions aux problèmes modernes passent par des actes de justice et de fraternité.

Toi qui appelles tes enfants à la *liberté*,
redis-nous que dans l'exigeante mission d'aimer,
Jésus, ton Envoyé, le Vivant, a promis d'être toujours avec nous.

Toi dont l'Amour éduque au *bonheur*,
redis-nous que nous sommes les «Heureux de l'Évangile» qui, dès maintenant, sont appelés à s'humaniser et à humaniser ensemble la société, sous le regard bienveillant, tendre et patient de Dieu.

Francine Vincent

TABLE DES MATIÈRES

DES MÊMES AUTEURS

Yvon POITRAS, *Pour la suite des pas*, Montréal, 1977, 232 p.

Yvon POITRAS, *Accueillir le soleil*, Montréal, Médiaspaul, 1983, 288 p.

Yvon POITRAS, André BERNIER et Ghislaine SALVAIL, *Fêtes et clameurs*, Sainte-Foy, Anne Sigier, 1985, 147 p.

Yvon POITRAS, *Paroles pour un voyage*, Montréal, Médiaspaul, 1986, 176 p.

Yvon POITRAS, Yvonne DEMERS et André BERNIER, *Brise et Bourrasque*, Montréal, Fides, 1988, 173 p.

Yvon POITRAS, *Je marcherai vers la mer*, Montréal, Médiaspaul, 1989, 150 p.

Yvon POITRAS, André BERNIER et Denise LEVER, *Vivre à pleines saisons*, Montréal, Médiaspaul, 1990, 141 p.

Yvon POITRAS, *Demain il fera soleil*, Montréal, Médiaspaul, 1991, 181 p.

Yvon POITRAS, Denise LEVER et autres collaborateurs, *Au bonheur de vivre!*, Montréal, Médiaspaul, 1992, 238 p.

Yvon POITRAS, Yvonne DEMERS et André BERNIER, *Célébrations 1. La liberté*, Montréal, Médiaspaul, 1994, 60 p.

Yvon POITRAS, Yvonne DEMERS et André BERNIER, *Célébrations 2. La mort*, Montréal, Médiaspaul, 1995, 71 p.

Yvon POITRAS, Yvonne DEMERS et André BERNIER, *Célébrations 3. La foi*, Montréal, Médiaspaul, 1996, 71 p.

Yvon POITRAS, Yvonne DEMERS et André BERNIER, *Célébrations 4. Le bonheur,* Montréal, Médiaspaul, 1997, 77 p.

Yvon POITRAS, *Un temps pour espérer*, Montréal, Médiaspaul, 1996, 165 p.

Yvon POITRAS, *Rendez-vous avec la vie,* Montréal, Médiaspaul, 1999, 135 p.

Yvon POITRAS et Yvonne DEMERS, *Pour vivre vraiment: l'Évangile!*, Montréal, Médiaspaul, 2000, 139 p.

Yvon POITRAS, *Vivre! Un beau défi,* Montréal, Médiaspaul, 2002, 147 p.

Denise LEVER, Yvon POITRAS, Francine VINCENT, *Pour enchanter nos jours,* Montréal, Médiaspaul, 2003, 151 p.

Yvon POITRAS, *Risquer l'espérance,* Montréal, Médiaspaul, 2005, 145 p.